LE ROC DU DIABLE

Derniers romans parus dans la collection Intimité :

UNE VILLE D'OR ET D'OMBRES
par Ellis PETERS

LE COLLIER DE LA DISCORDE
AU PERIL DE MA VIE
par Anne WAKEFIELD MADDEN

UN PORTRAIT POUR TOUT HERITAGE
par Anne STEVENSON

DU FEU SUR LA NEIGE
par Barbara CARTLAND

L'ILE DE LA PEUR
par Mary ROBERTS RINEHART

BROUILLARD SUR LE FLEUVE
par Elizabeth KYLE

QUI S'EST ASSIS DANS MON FAUTEUIL ?
par Charlotte ARMSTRONG

COUSINE ROSE
par Anns GILBERT

UN TRAITRE DANS LA MAISON
par Jo GERMANY

LES MAILLES DU PASSE
par Elizabeth RENIER

LE PORTRAIT DEROBE
par Rona RANDALL

STATIONNEMENT INTERDIT
par Loïs PAXTON

DES FANTOMES PLEIN LA TETE
par Barbara MICHAELS

A paraître prochainement :

LE REBELLE DE VIRGINIE
par Elizabeth RENIER

Nous vous recommandons notre **formule d'abonnement :**

Pour 12 volumes par an, port compris : **50 F**

Adressez vos commandes par chèques bancaire
aux EDITIONS MONDIALES, 75440 PARIS CEDEX 09
ou par versement à notre C.C.P. 8782-57 à Paris

COLLECTION MENSUELLE

France : 4,00 F (+ 2,20 F de port)
Canada : 1,25 dollar canadien

Ivy **VALDES**

LE ROC DU DIABLE

(The Devil's Rock)

Traduit de l'anglais
par Denyse RENAUD

LES EDITIONS MONDIALES
2, rue des Italiens — PARIS-9ᵉ

ISBN N° 2-7074-2364-5

CHAPITRE PREMIER

Les journaux anglais eurent vent de l'histoire ;
Je le sais, parce que l'entrefilet étant tombé sous les
yeux de Max, il m'envoya un exemplaire du quo-
tidien. Sept lignes en fin de page... Si peu de chose...
et pourtant... ! S'ils avaient su, derrière ces sept
lignes se cachait un telle tragédie !

Je les lus et les relus. Précises, concises, ces
quelques phrases relataient les faits mais décri-
vaient bien peu la réalité, la peur, l'angoisse de l'in-
décision, les longues heures d'attente. « *Village en
péril* » : ce titre coiffait le bref article. Et devant
ces mots, ces trois mots, je sentais de nouveau la
pluie qui cinglait mon visage, collait mes cheveux
sur mes joues, mes pieds étaient glacés dans des
chaussures trempées...

Sûrement, si je levais la tête, je reverrais le péril
auquel le journal faisait allusion, comme nous
l'avions tous vu en ce fatidique, inoubliable matin
de septembre.

« *Des experts de Barcelone recommandent l'éva-
cuation du petit village de San Matio...* »

Elles étaient si impersonnelles, ces lignes, si

banales... Bien sûr, les faits l'étaient aussi pour tout
le monde, sauf pour nous. San Matio... Un village
qui ne valait même pas un point sur une carte très
détaillée, un hameau de montagne où depuis des
siècles il ne se passait rien. A ce qu'il me semblait,
tout au moins, bien souvent. Rien de surprenant,
certes, jusqu'à ce qu'un reporter, s'étant aventuré
dans nos montagnes, dans le sillage des experts
envoyés en toute hâte de Barcelone, ne nous eusse
consacré ces quelques lignes imprimées. Mais pour
les gens de San Matio, pour Don Filipe, pour ceux
qui veillaient sur les moutons, pour ceux qui labou-
raient le sol, ce qui nous arrivait était une véritable
catastrophe. Bien plus que nos vies était en jeu :
c'était tout un mode d'existence qui risquait de
s'écrouler. Au regard blasé d'un journaliste, accou-
tumé aux luttes internationales, aux famines, aux
troubles sociaux, que peut être un petit village ?
Bien peu de chose.

Je me demande même comment la nouvelle
trouva le chemin d'un journal anglais. Peut-être
n'avait-il rien à publier ces jour-là ? Je vois très
bien le rédacteur en chef lisant le papier, et deman-
dant :

— San Matio ? Où est-ce ?

La question, je l'avais posée moi-même en
Angleterre, en ce jour qui me paraît si lointain, où
je regardais un client signer le registre de l'hôtel. Je
doute que la réponse faite au rédacteur curieux ait
été aussi enthousiaste que celle que me fournit le
nouveau venu.

— En Espagne, madame Fraser, dans la montagne, m'avait dit Ramon Mingote, qui ajouta d'une
voix chaleureuse : je ne crois pas qu'il puisse y

avoir au monde un endroit aussi beau que mon village !

— J'ai peur de ne jamais en avoir entendu parler, avais-je répondu en refermant le registre.

Je tendis sa clé à M. Mingote.

Et maintenant, après tout ce qui s'est passé, j'ai peine à croire qu'en un temps, ce nom ne signifiât rien pour moi. Quant à voir le village de mes yeux...

Ce fut bien près de ne pas se produire !

*
* *

Je crois, en rappelant mes souvenirs, que tout commença le jour où tante May s'éteignit. Ce jour-là, tout changea, et ce changement bouscula mon existence quelque peu monotone.

C'est de la soudaineté imprévue du fait que je me souviendrai toujours. Le soir précédent ressemblait à tous les autres soirs : j'avais apporté à boire à tante May avant qu'elle ne s'endorme, j'avais attendu que la trentaine de clients de l'hôtel soit rentrée, puis j'avais fermé la porte.

J'étais toujours contente de tirer les verrous. Une nouvelle journée s'achevait. Bien que l'hôtel de tante May, au bord de la mer, fût très petit, il était toujours en pleine activité et j'avais beaucoup à faire. Ma tante restait oisive, en partie à cause de ses infirmités, en partie à cause de sa paresse, et de plus, nous manquions généralement de personnel.

Ce soir-là, qui précéda la mort de tante May, je me rappelle m'être assise sur le bord de son lit tandis que, soulevée sur de multiples oreillers elle buvait une boisson chaude.

— Ne te tourmente pas, chérie, dit-elle en me caressant la main. Je sais que tu travailles dur, mais enfin l'hôtel vous procure un toit, à toi et au petit, et un jour..., un jour, tout t'appartiendra !

Ni elle, ni moi, n'avions aucune raison de penser que ce jour, auquel elle faisait allusion, viendrait le lendemain.

Ce fut Annie, la cuisinière, qui vint m'annoncer la nouvelle. En apportant à tante May son thé du matin, elle l'avait trouvée morte dans son lit. La pauvre femme était morte doucement, nous affirma le médecin appelé à la hâte. Elle avait l'air de dormir, son visage aussi blanc que ses cheveux, ses mains mollement jointes. Toutes les petites rides qui entouraient sa bouche et ses yeux semblaient s'être effacées, de sorte que, morte, elle paraissait plus jeune que vivante.

En la contemplant, immobile, si calme, je me reprochai les occasions nombreuses où je lui en avais voulu. A la vérité, elle était souvent exaspérante.

— Madame Fraser, je ne sais pas comment vous pouvez la supporter ! m'avait dit, encore la semaine dernière, une de nos bonnes clientes. Vous laisse?t?elle jamais vous reposer ? Elle réclame toujours quelque chose, et elle le veut tout de suite ! Une paresseuse, voilà ce qu'elle est. Elle n'est pas malade, elle a la flemme !

Annie elle-même, la brave Annie, si patiente, me disait souvent :

— Ce n'est pas une vie pour vous, madame ! Vous êtes jeune ! Vous devriez prendre du bon temps au lieu de rester vissée ici, à faire ses quatre volontés. Comment acceptez-vous ça ?

Annie ne savait pas toute l'histoire et les clients en savaient moins encore. J'acceptais parce que tante May me donnait ce dont Tony et moi avions besoin, avions cruellement besoin : un foyer. Un foyer confortable. Elle laissait complètement entre mes mains la direction de l'hôtel : en pratique, sinon en titre, la maison m'appartenait. Les bénéfices, naturellement, lui revenaient à elle, mais ce n'était qu'une question de temps. « Un jour, me disait-elle souvent, quand tout cela sera ta propriété... »

J'aimais beaucoup ma tante. Oui, je l'aimais, bien qu'elle m'agaçât et que mon existence fût devenue une routine de paperasserie et de tâches domestiques, et que je n'eusse jamais un instant de loisir. Tante May était une montagne de contradictions, mesquine par certains côtés, exagérément généreuse parfois. Je n'avais pas besoin d'un gros salaire, déclarait-elle, puisque j'étais défrayée de tout. C'était vrai, mais tandis que je me débrouillais péniblement avec ce qu'elle me donnait, et qui n'était guère que de l'argent de poche, elle tentait de racheter sa ladrerie en arrivant avec des cadeaux inattendus, des cadeaux somptueux pour Tony et pour moi. Et en ce qui concernait Tony, qui était, à sept ans, de santé fragile, elle ne faisait pas d'économies : pour lui, des spécialistes, encore et encore, la meilleure nourriture, tout ce qu'il y avait de mieux.

Et maintenant, tante May était morte.

Ce fut un jour étrange, irréel. Il y avait tant de choses à faire ! Je les fis automatiquement, toutes les formalités qui suivent un décès, tout en gardant l'œil sur l'hôtel.

— Tout doit continuer comme d'habitude, dis-je aux clients qui me présentaient leurs condoléances. C'est cela qu'elle aurait voulu.

Tante May avait peu de parents ; je téléphonai au cousin Max, bien qu'il ne fût jamais venu la voir depuis que nous étions à l'hôtel, Tony et moi, sept

ans bientôt mais elle parlait toujours de lui affectueusement.

— Tony, pour l'amour du ciel, fais quelque
chose ! m'exclamai-je.

Toute la matinée, l'enfant avait traîné derrière
moi. A présent, assis à ma table de travail, le menton dans les mains, il venait d'écouter ma conversation au téléphone avec Max.

— Va voir si tu ne pourrais pas aider Annie...
Ou bien va suspendre ces clés.

Il ne bougea pas.

— Maman...

D'habitude, il disait « M'man », le mot entièrement prononcé était réservé aux instants solennels.
Tony, le cher enfant, était un petit garçon très
solennel. Petit pour son âge, avec des yeux bleus qui
semblaient, quand il les ouvrait tout grands comme
maintenant, manger la moitié de son maigre petit
visage. Il avait hérité de mes couleurs : ses cheveux, très blonds et très plats, étaient toujours en
désordre. On avait beau les coiffer, une mèche re-
tombait toujours sur son front comme une frange.

— Ce Max ? dit-il. Est-il vraiment ton cousin ?

— Oui, répondis-je, bien qu'il soit beaucoup
plus âgé que moi.

Il y eut un profond silence, suivi d'un bruit que
je ne pourrais comparer qu'à un reniflement de
mépris. Je levai les yeux, étonnée.

— Que veux-tu dire par là ?

— Je ne vois pas pourquoi il viendrait à l'enterrement quand il n'a jamais pris la peine de venir
voir tante May.

— Je n'ai pas dit qu'il n'avait pas « pris la
peine de venir la voir », j'ai seulement dit qu'il

n'était pas venu. Il habite loin d'ici, près de Birmingham, et je pense qu'il est très occupé.

— C'est pareil.

Tout jeune qu'il fût, Tony avait l'art inquiétant de discerner le détail important.

— Il serait venu plus tôt s'il avait voulu. Et maintenant..., elle est morte. C'est bête.

— Tony !

— C'est comme ça, pourtant.

Il était très absolu en ce qui concernait sa tante.

— A lui, elle ne manquera pas. Ce n'est pas comme pour nous.

Je vis ses lèvres frémir.

— M'man..., si tante May est quelquefois de mauvaise humeur, comme ici, crois-tu que le Bon Dieu se fâchera et la renverra chez elle ?

— Oh ! Tony !

Je ne savais que répondre. Il ne bougeait pas, mais deux grosses larmes roulaient sur ses joues.

— Ce n'est pas comme cela, dis-je. Elle ne sera plus jamais de mauvaise humeur. Elle l'était à cause de ses rhumatismes, et... Mon chéri, je t'en prie... !

Je l'attirai sur mes genoux et j'essuyai ses larmes.

— Excusez-moi, dit une voix. Je viens seulement d'apprendre la triste nouvelle. Je suis navré pour vous...

Je remis Tony sur ses pieds et je me levai. C'était M. Mingote, ou, pour citer le registre de l'hôtel, Ramon Francisco Juan Mingote. Quel nom ! Ce client, venant du petit village de San Matio, situé au nord de l'Espagne, était arrivé très tard un soir, trois semaines plus tôt, avec l'intention de passer deux jours chez nous. Maintenant encore, il ne parlait pas de départ. Tony s'était fait un ami de M. Mingote. Grand et bel homme, ce dernier

savait prendre les enfants. Les vieilles dames aussi.
Tante May était amoureuse de notre visiteur étranger et je devais reconnaître qu'il était charmant.

— Nous ne pouvons y croire, dis-je. Cette mort a été tellement inattendue.

— Un arrêt du cœur ?

— C'est ce que dit le médecin. Annie, la cuisinière, l'a trouvée ce matin dans son lit...

— Vous auriez dû m'appeler.

Surprise, je le regardai.

— Vous ?

— Ne le saviez-vous pas ? Je suis médecin.

Il parlait un anglais parfait, en phrases un peu guindées parfois, mais presque sans accent.

— C'est pour cela que je suis venu en Angleterre, pour prendre part à un congrès médical à Londres... Puis j'ai décidé de passer quelques jours de vacances ici, près de la mer. Je n'avais pas l'intention de rester aussi longtemps, mais...

Il sourit.

— Votre hospitalité... ! Je n'ai aucune envie de partir. Et voilà que survient pour vous cette épreuve... Je crois que ce serait une bonne chose pour Tony de sortir un peu de la maison. Avec votre permission, madame Fraser...

Je hochai la tête.

— Cela te plairait-il, Tony ? demanda l'Espagnol.

— Chic !

Sans se faire prier, Tony courut chercher son manteau.

— Je vous montrerai où je vais pêcher l'été. Et pouvons-nous aller au même endroit que la dernière fois ? Là où vous m'avez acheté cette grosse glace ?

— Tony !

Ramon Mingote me fit taire d'un geste.

— Tu auras une autre glace, bien que je ne comprenne pas comment tu peux en manger par un temps aussi froid. Et nous ferons un tour en car, veux-tu ?

Il se tourna vers moi.

— Je pense que vous avez beaucoup à faire. Je vais le retirer de votre chemin.

Ils partirent.

Je retombai sur mon fauteuil. Ramon Mingote disait vrai, j'avais beaucoup de choses à faire, mais soudait j'étais lasse. Etre délivrée du bavardage de l'enfant me reposait, être délivrée de ses larmes aussi. Les enfants sont étranges : à un moment, ils pleurent, l'instant suivant, ils ont oublié leur chagrin. Ils montent et descendent sur la balançoire de la vie, indifférents aux meurtrissures quand ils se trouvent à la crête d'un nouvel amusement. Les larmes de Tony me faisaient honte. C'est moi qui aurais dû pleurer, moi, plus proche de tante May et qui lui devais tant. Que serais-je devenue, à la mort de Peter, me retrouvant veuve, avec un bébé dans les bras, sans l'intervention de ma tante ? Bien sûr, depuis sept ans, je travaillais dur pour payer le toit sur ma tête, j'avais supporté son agitation, ses exigences constantes, mais cela en valait la peine, car elle me donnait la sécurité du présent et de l'avenir.

Pourtant, je n'avais pas versé une larme.

Je me levai, je fermai mon fichier et je fis, du regard, le tour de ce bureau où j'avais passé tant d'heures. Le cardigan de tante May se trouvait encore sur le dos du grand fauteuil où elle aimait s'asseoir pour regarder les clients entrer et sortir. Je m'aperçus, avec remords, que j'avais allumé les deux rampes du radiateur électrique : tante May ne voulait pas de cela, elle estimait une rampe tout à fait suffisante. Bien sûr, elle s'emmitouflait dans une montagne de chandails et de châles...

Machinalement, je me penchai pour éteindre une partie du radiateur, puis-je me redressai. Non, je ne ferais pas cela ! J'avais froid et deux rampes incandescentes égayaient la pièce. Tante May n'était plus : l'hôtel n'était plus à elle mais à moi. Si je voulais activer le chauffage central et allumer totalement le radiateur électrique, j'étais libre !

A moi !

Je sortis dans le hall et je le contemplai dans ma fierté de propriétaire. Ma propriété ! L'hôtel n'était pas grand, mais il était bien situé, presque en bordure de la plage, et la réputation de sa table nous procurait un afflux régulier de clients. Tante May ne voulait pas mettre d'argent pour moderniser l'établissement ; c'est de cela qu'il avait besoin : des moquettes neuves partout, une cuisine pratique et bien équipée, peut-être l'agrandissement du bâtiment par derrière. Depuis sept ans, je passais mon temps à faire des projets d'avenir et à présent, allant d'une pièce à l'autre, je le voyais tel qu'il pouvait devenir. Tel qu'il deviendrait maintenant qu'il m'appartenait. Tel qu'il appartiendrait à Tony.

Je regagnai mon bureau et d'un tiroir, je sortis un trousseau de clés : les clés de tante May. Elle le gardait toujours dans son sac à main et, ce matin, après le départ du médecin, c'est la première chose que j'avais faite : ouvrir le sac et prendre les clés. Un geste symbolique. Elle ne s'en séparait jamais, même à mon bénéfice, et quand il y avait quelque chose à chercher au bureau, même si elle souffrait cruellement de ses rhumatismes, elle allait le chercher elle-même. Le trousseau dans la main, je me sentis coupable : j'avais l'impression de voler une morte.

Il y avait là cinq clés. Une pour le tiroir du haut du secrétaire, une pour chacun des trois autres tiroirs ; la cinquième, plus petite, fermait la boîte noire.

Le secrétaire de tante May se trouvait dans le salon privé contigu au bureau, un grand secrétaire de chêne sombre brillant comme un miroir, un très beau meuble, d'après tante May qui l'avait hérité, en même temps que l'hôtel, d'un capitaine de la Royal Navy. Je n'avais jamais posé de questions sur le capitaine. Tante May, si j'en croyais les deux ou trois photos que j'avais vues d'elle, devait être une beauté dans sa jeunesse.

Les clés à la main, j'allai au secrétaire.

Ma main tremblait ridiculement et j'eus peine à mettre la clé dans la serrure. Le deuxième tiroir du bas..., je savais exactement où chercher. La clé tourna, je tirai le tiroir, et à l'intérieur, je vis la boîte noire.

Un instant, je demeurai immobile. Je regardais la boîte. J'avais vu tante May l'ouvrir et la fermer bien souvent, toujours d'un air mystérieux.

— Un jour, Janet, quand tout ceci t'appartiendra..., disait-elle.

Elle tapotait la boîte éloquemment. Ses papiers personnels, tous ses papiers importants étaient là.

Avec son testament.

La petite clé tourna facilement dans la serrure : j'ouvris la boîte et j'y trouvai une collection de documents : des actes de naissance de la famille, quelques vieilles lettres, des titres bancaires attachés ensemble par une ficelle. En en dessous, le papier que je cherchais.

Je le tirai de son enveloppe. L'écriture avait pâli, comme si le document était très ancien. Au bas de la page, sous la signature de ma tante, je vis une date.

— Non ! Oh ! Non... ! murmurai-je.

Ce testament avait été écrit il y a vingt-huit ans. Bien avant ma naissance ! Rapidement, je déchiffrai les lignes :

« Je lègue et donne à mon neveu, Max Phillips... »

Elle laissait tout à Max ? Ce n'était pas possible ! Le jour-même de mon arrivée chez elle, elle m'avait promis :

— Après moi, tu auras tout !

Il devait y avoir un autre testament !

Mais j'eus beau chercher fiévreusement dans tous les tiroirs du secrétaire, fouiller parmi les lettres, les factures, les reçus, je ne trouvai rien. Je n'avais pas espéré trouver : d'avance, je savais qu'il n'y avait pas d'autre testament. Tante May, méthodique, ordonnée, rangeait toujours ses papiers personnels dans la boîte noire.

Elle m'avait promis pourtant !

Je relus le testament qui datait de deux ans avant ma naissance. Les mots se mêlaient sous mon regard effaré, je les déchiffrais péniblement. *« Je lègue et donne à mon neveu Max Phillips tout ce que je possède... »*

Cet hôtel ?

Il y a un instant, il était à moi. Maintenant, selon les termes du testament, il appartenait à Max.

— Ce n'est pas juste ! dis-je à la pièce vide. Elle m'avait promis.

CHAPITRE II

Le notaire de ma tante m'écouta avec attention, puis s'abandonna contre le dossier de son fauteuil et joignit les mains, comme s'il priait. Il soupira profondément.

— C'est exact, madame Fraser. Ou puis-je vous appeler Janet ? Votre tante parlait toujours de vous sous ce nom. Je suis d'accord avec vous, c'est très injuste, mais je suis obligé de reconnaître que c'est bien là le testament de votre tante, son dernier testament autant que nous puissions le savoir. Et, à moins que nous n'en découvrions un plus récent, celui-là exprime ses volontés.

— Il n'y a pas d'autre testament, dis-je. J'ai cherché partout.

— Je regrette..., je regrette infiniment, dit-il doucement. C'est désolant.

— C'est injuste !

— Sans aucun doute. Je ne m'occupe des affaires de votre tante que depuis quelques années : à ce moment, son notaire, un ami personnel, je crois, était mort. Je savais qu'elle avait fait un testament, mais j'ignorais qu'il fût aussi ancien.

— Ne vous avait-elle pas dit qu'elle comptait me léguer l'hôtel ?

Maître Seymour respira à fond et fouilla sa mémoire.

— Non, dit-il enfin. Je me rappelle l'avoir questionnée un jour sur l'avenir, mais elle m'a seulement répondu que son testament se trouvait parmi ses autres papiers. Elle ne m'a donné aucun détail sur ses intentions. Je suis navré.

Il ne s'agissait pas uniquement de bonnes paroles : je discernais de la sympathie, une compassion sincère dans la voix. Je n'avais vu M⁰ Seymour qu'une ou deux fois, ayant accompagné ma tante à son étude. En général, elle s'y rendait seule, appuyée sur sa canne et se faisant aider par le chauffeur de son taxi. Elle faisait sensation, aucun doute à cela, et une bonne partie du personnel de l'étude se précipitait pour la recevoir et la soutenir. A présent, j'étais assise là où elle s'asseyait elle-même, en face de M⁰ Seymour, séparée de lui par la vaste table à dessus de verre. Le notaire, un petit homme vif, leva les yeux du document qu'il examinait pour me regarder.

— Votre tante... une femme d'honneur... Il était convenu entre elle et vous que vous travailleriez pour elle et recevriez cette récompense... Et puis... cela !

Du doigt, il frappa le testament.

— C'est étrange. Je pense que, comme beaucoup de gens, elle croyait avoir des années devant elle et ne se pressait pas de refaire son testament. Et maintenant...

Il retira ses lunettes et les frotta du coin d'un mouchoir propre. Puis il répéta :

— C'est désolant.

Désolant. Le terme était modeste. Un singulier engourdissement m'écrasait, de sorte qu'ayant conscience d'une peine profonde, je n'éprouvais rien. Cela viendrait plus tard. Pour le moment, il me semblait que la chose arrivait à quelqu'un d'autre, pas à moi.

— Qu'allez-vous faire ? me demanda doucement Me Seymour.

— Que puis-je faire ? répliquai-je avec amertume. Chercher un emploi... Peut-être Max comprendra-t-il. Il devrait comprendre quand je lui dirai que tante May avait promis... !

Mais tout en parlant, je savais bien que mon espoir était absurde. Je ne pouvais tout de même pas m'attendre à ce que Max, acceptant ma parole, renonce à son héritage et me dise : « Tout est à toi, Janet »...

— Oui, naturellement, un emploi... mais en l'occurrence, ce pourrait ne pas être facile.

Maître Seymour choisissait avec soin ses termes.

— Vous avez un jeune fils, je crois ? Votre tante m'a dit qu'il a des crises d'asthme ? S'il était malade, vous seriez obligée de lui consacrer du temps..., et je crains que les employeurs n'admettent pas toujours cela. Je me demande...

Il s'interrompit.

— Si votre cousin décide de conserver l'hôtel plutôt que le vendre, il aura besoin d'une personne pour s'en occuper. Peut-être vous chargerait-il de cela, pour un salaire convenable ?

— Vous ne connaissez pas sa femme ! Non, je n'aimerais pas travailler pour eux.

Cette seule idée me rebutait. Travailler pour Max Phillips dans un hôtel qui aurait dû m'appartenir ? Obéir à ses ordres ? Lui rendre des comptes pour la plus minime dépense ? Non, quelles que fussent les circonstances, je ne pouvais accepter cela. Une demi-heure plus tard, en sortant de l'étude, je n'avais pas changé d'avis.

Je regagnai l'hôtel en suivant le bord de mer. C'était la fin de l'après-midi, et l'eau, chatoyant sous le soleil de mars, annonçait que l'été et les joies des vacances étaient proches. Non seulement il me fallait trouver un emploi, mais un logis, et si pour cela je devais aller dans une autre ville, peut-être loin de la côte, Tony ne bénéficierait plus des plaisirs de la plage. En été seulement il se portait bien. Quand le soleil brillait, il passait son temps à courir sur le sable, faisant la connaissance de tous ceux qui venaient là. Pendant les vacances, les pensionnaires de l'hôtel l'emmenaient avec eux. Tante May disait que c'était une joie pour elle de voir son petit visage mince, généralement pâle, prendre une teinte dorée au soleil.

Et l'été prochain ?

Dieu seul savait où nous serions. Que c'était injuste, après mes années de travail et tant de promesses... « Un jour, tout cela t'appartiendra... »

A mon retour, Annie m'apporta du thé.

— Vous en faites trop, madame, dit-elle avec reproche. Pourquoi ne pas vous allonger et vous reposer ?

Comment pouvais-je me reposer quand j'avais encore tant à faire. Mon univers pouvait bien s'écrouler, mais il fallait tout de même s'occuper des clients. Deux personnes en quête de logement se présentèrent. Je les inscrivis et je les conduisis à leurs chambres. Puis Tony rentra.

Il avait passé une journée merveilleuse, me dit-il. Monsieur Mingote l'avait emmené dans les dunes,

puis ils étaient revenus par Lewes. L'enfant avait
mangé la glace qu'il souhaitait, non sans avoir dîné
auparavant, dans une friterie ! C'était naturellement
Tony qui avait choisi le restaurant.

— Dans son village, il n'y a pas de petit restaurant où on mange du poisson et des chips, me dit
Tony d'un air scandalisé. Alors, cela a beaucoup
intéressé monsieur Mingote de venir là.

Tony déclara cela sur un ton très solennel, citant
sans nul doute les paroles de son compagnon.
Ensuite, il grimpa sur mes genoux et appuya sa
joue contre la mienne.

— M'man, est-ce que c'est mal, de m'être amusé
aujourd'hui ? Si tante May le sait, sera-t-elle fâchée ?

— Elle sera très contente que tu aies passé une
bonne journée, affirmai-je.

Le dîner servi, les clients buvant leur café, je
quittai mon bureau et je me rendis dans le petit
salon privé. Si on avait besoin de moi, on sonnerait.
J'avais encore fouillé tout le secrétaire, bousculant
tous les tiroirs, examinant chaque papier un à un...
Il n'y avait pas d'autre testament. A présent sans
espoir, je lus le journal, non pas les nouvelles mais
les offres d'emplois ; j'avais acheté un numéro de
« Femme » en revenant de chez le notaire, je l'étu-
diai aussi : il me fallait un poste avec logement,
femme de charge, gouvernante, peu importait si
l'offre spécifiait ce détail important : « On accepte-
rait une candidate ayant un enfant. « Mais je ne
trouvai rien.

Je posai le journal.

— Madame Fraser...

Je n'avais pas entendu frapper à la porte. Je me
retournai vivement. Bien sûr, j'aurais dû le deviner :
c'était Ramon Mingote. Tante May le trouvait sym-

pathique, et parfois, le soir, elle l'invitait à venir
prendre le café avec nous. Quelque chose en lui, son
apparence physique, sa distinction, trahissait sa qualité et je me demandais souvent ce qu'il pensait de
notre salon de famille : c'était la Cendrillon de l'hôtel, confortable, mais le réceptacle de tous les meubles qui n'avaient plus leur place ailleurs, des fauteuils aux ressorts fatigués, de petites tables qui ne
servaient à rien de particulier, et de trop de tableaux
sur les murs. Sur le seuil, sa tasse à la main, Ramon
Mingote me regardait d'un air interrogateur.

— Est-ce que je vous dérange ? J'ai pensé que
vous excuseriez peut-être cette intrusion. Il n'est pas
bon pour vous de rester seule.

— Je vous en prie, entrez, monsieur Mingote,
dis-je en débarrassant un fauteuil du journal que j'y
avais posé. Je crains que ma compagnie ne soit pas
très divertissante..., mais c'est vrai, cela me fera du
bien de parler. Tony a été ravi de sa promenade. Je
vous suis très reconnaissante.

— Cela a été un plaisir pour moi.

Silence. Je me penchai pour prendre la tasse de
Ramon Mingote et la remplir, puis ayant rempli la
mienne, je me rassis. Il avait mis du sucre dans son
café et le remuait lentement. C'était un bel homme,
d'une quarantaine d'années, exceptionnellement
grand, avec de larges épaules. C'était le genre
d'homme qui ne saurait passer inaperçu. Quelques
fils blancs striaient ses cheveux noirs sur les tempes ;
il avait le teint uni et bronzé et de grandes mains
aux longs doigts, aux gestes harmonieux. Je l'imaginais très bien soignant les malades.

Il leva les yeux.

— Je conçois que, pour vous, ce moment soit

d'une grande tristesse, dit-il. Nous autres Espagnols,
comme vous le savez peut-être, sommes très attachés à notre famille. Lorsque meurt une de nos
tantes, ou un grand-parent, la vie semble s'arrêter
dans une maison. Aussi, je compatis quand la mort
frappe à une porte.

Il avait une manière bien à lui d'exprimer cela.

— Ma tante a vécu une vie bien remplie, dis-je.
Certes, elle va nous manquer, mais maintenant, il
nous faut envisager l'avenir.

— Naturellement. La vie continue. Je suis médecin et dans un petit village tel que San Matio, j'as-
siste très souvent à la mort aussi bien qu'à la naissance. Comme la nature, nous avons nos saisons
et l'hiver, inévitablement, suit et précède le printemps.

Il fit un geste des mains.

— Comme tous les hommes, je suis heureux
de voir le soleil de l'été, pourtant, les sillons de l'hiver sont beaux... Tout comme sont belles les rides
d'un vieux visage.

Jamais encore il n'avait parlé ainsi. De fait, en y
repensant, je me rendais compte qu'il parlait peu,
écoutant surtout ce que disait tante May. Et elle
aimait cela : il était bon auditeur et c'est sans doute
ce quelle appréciait en lui. Parmi nos nombreux
clients, il était le seul qui fût jamais venu passer la
soirée avec nous. Peut-être pour cette raison, ou à
cause de tout ce que Tony me disait de lui, j'avais
l'impression de le connaître depuis très longtemps.
Sans doute au début m'avait-il remarquée parce qu'à
son arrivée, j'avais audacieusement essayé sur lui
ce que je savais d'espagnol. Non que je fusse très
savante sur ce point, mais une jeune Espagnole
venue travailler à l'hôtel à un certain moment, m'avait

enseigné quelques phrases. De toute façon, mes bafouillantes tentatives nous avaient rapprochés.

Le lendemain, le nouveau venu vit Tony. Tony, me dit-il, était si différent des enfants de son village ! Il s'extasiait sur ses cheveux blonds, ses yeux bleus. Dès lors, il emmena souvent le petit garçon en promenade, et quand j'avais une heure de loisirs, je les accompagnais. Nous allions tous les trois prendre le thé et manger des gâteaux et nous parlions... Je m'apercevais à présent, en y réfléchissant, qu'il me laissait parler, comme tante May, et qu'il restait très discret sur lui-même. Jusqu'à ce matin j'ignorais même qu'il fût médecin.

— Je ne suis pas très sûre que la vieillesse soit une belle chose, dis-je, me souvenant des jointures craquantes de tante May. Ne dit-on pas que la beauté est dans les yeux de celui qui la voit ? Peut-être la voyez-vous... pour ma part, je ne la vois pas.

— Votre tante était une femme très remarquable : elle avait fait du théâtre, je crois ?

— Oui.

— J'appréciais vivement nos conversations. Et maintenant...

Il posa sa tasse, et d'un geste engloba ce qui nous entourait.

— Cet hôtel... vous allez garder l'affaire, je suppose ?

Les coins de mes lèvres tremblèrent.

— C'est ce que j'escomptais, dis-je, mais... mais...

Il eut l'air anxieux.

— Vous ne voulez pas diriger l'hôtel à vous seule ?

— Ce n'est pas cela. Je... enfin, vous le saurez

bientôt..., tout le monde le saura. Ma tante n'a pas
pris de dispositions, et je...

J'achevai d'une voix étranglée :

— Je ne peux pas...

Je n'avais pas versé une larme de toute la journée. En constatant la mort de tante May, pas une
larme. Quand j'avais découvert le testament écrit
avant ma naissance, pas une larme. Pas une larme
en en discutant avec le notaire. Pas une larme en
consolant Tony blotti contre moi, ou en écoutant
les condoléances des clients.

Et tout à coup, en face de cet étranger, je pleurais
sans pouvoir m'en empêcher. Je savais qu'il était là,
près de moi, certainement gêné, mal à l'aise, et je
ne m'en souciais pas. Le visage appuyé contre le
bois dur de la table, je pleurais comme je n'avais
pas pleuré depuis des années. Je pleurais sur mes
espoirs envolés comme un rêve, je pleurais de chagrin, de colère, de découragement.

Soudain, aussi vite qu'avait commencé la crise,
elle s'acheva. Honteuse, ravalant mes dernières larmes, j'essuyai précipitamment mes yeux et je repoussai mes cheveux de mon visage.

— Je... je regrette. Je ne sais pas ce qui m'a
pris.

Je reniflai, j'avalai, je levai la tête. Ramon Mingote n'avait pas bougé. Il était là, debout, les sourcils joints, visiblement consterné.

— Je vous en prie, oubliez cela, murmurai-je.
C'est fini.

— Comment pourrais-je oublier votre chagrin ?

Il tira un fauteuil et s'assit en face de moi, sans
quitter mes yeux du regard.

— Expliquez-moi, je vous en prie, ce que vous

disiez : ai-je mal compris ? S'agit-il de... du testament de votre tante ? Est-ce cela ?

Je lui dis tout. Sans doute n'aurais-je pas dû
parler aussi franchement, il n'était qu'un client de
l'hôtel, et un client de trois semaines, sans plus.
Mais il me fallait parler. Les mots montaient comme
un flot à mes lèvres, tout ce que j'attendais, l'amère
déception, la cruauté de cette promesse non tenue...

Je ne me souviens plus de ce que je lui dis
exactement. Me pressant de parler, il m'avait pris
les mains. Il les lâcha quand j'eus terminé et un
moment il garda le silence. Son visage était sombre
et grave, et dans ses yeux, de grands yeux noirs
sous des sourcils nettement dessinés, je lisais la sympathie et la compréhension.

— C'est si injuste ! dis-je encore une fois. Et je
me fais des reproches : j'aurais dû prier tante May
de faire plus et mieux que des promesses. Seulement, elle parlait toujours de cela comme d'une
chose entendue... Et maintenant, il est trop tard.

Ramon Mingote me regardait avec anxiété.

— Qu'allez-vous faire ?

— Chercher un emploi, je pense. Le notaire me
disait que Max me garderait peut-être pour diriger
l'hôtel... J'aurais horreur de cela, mais la situation
de Tony est en jeu, et il me faut avant tout penser
à mon fils.

Silence.

Très doucement, Ramon parla soudain.

— Ou bien... vous pourriez venir en Espagne
avec moi.

Je pensai avoir mal entendu : il avait parlé si
bas...

— En Espagne ? répétai-je vaguement.

— Serait-ce une idée déplaisante pour vous ?

Mon village, San Matio, est dans un pays magnifique. J'ai beaucoup à vous offrir.

— Auriez-vous là un hôtel ?

Ou bien il s'exprimait mal, ou bien j'avais l'esprit obtus.

— Est-ce de cela que vous parlez ? Vous m'offrez un poste de gérante ?

Je l'entendis pousser un soupir, un long soupir entrecoupé, puis, toujours sans quitter mon visage des yeux, il secoua la tête.

— Non, dit-il, il n'y a pas d'hôtel à San Matio, le village est trop petit.

— Alors, je ne comprends pas.

— Je vous demande d'être ma femme.

J'en restai bouche bée.

— Votre femme ? Mais...

D'un geste, il m'imposa silence.

— Attendez. Je sais ce que vous allez dire. Vous autres, Anglais, vous allez toujours lentement, de peur, en vous hâtant, de prendre la mauvaise direction. Je n'ai pas de ces craintes. Je ne suis plus un très jeune homme, je le sais, mais dans mon pays, on a l'habitude de se marier tard, et je peux vous offrir la sécurité aussi bien que l'affection. Ce jour, quand...

— Je vous en prie ! dis-je, l'interrompant, je suis très honorée, mais...

— Ce jour, quand je suis entré dans cet hôtel, reprit-il, élevant la voix pour ne pas entendre la mienne, je vous ai vue à votre bureau, si active, si belle, j'ai vu vos cheveux qui ont la teinte des blés mûrs sous le soleil. Vous m'avez parlé dans ma langue. Croyez-vous que je puisse oublier tout cela ? Non. Je comptais ne rester ici que quelques jours, mais quand j'ai signé dans votre registre, je savais déjà que vous ayant rencontrée, j'aurais peine à m'arracher. Alors, je suis resté, espérant, redoutant cependant, de vous dire ce que j'éprouve.

J'étais médusée. Pour la première fois de ma vie, littéralement abasourdie. Cette déclaration, exprimée en phrases hachées, mais avec une sincérité profonde, était totalement inattendue. Ramon Mingote s'écarta de moi et m'observa, attendant ma réponse. Et que pouvais-je lui dire ? Pendant les trois semaines de son séjour, je ne l'avais jamais considéré autrement qu'en tant que client, un homme assez bon pour s'intéresser à Tony. Il ne m'était jamais venu à l'idée qu'il s'intéressait à moi aussi.

Il m'était sympathique. Il ne pouvait en être autrement : il était courtois, plein d'attentions, parfaitement bien élevé, mais à part cela... Il devait avoir dix-huit, peut-être vingt ans de plus que moi ! Et il y avait entre nous la barrière des nationalités différentes. Si je l'avais aimé, ce n'eût pas été un obstacle : l'idée de l'Espagne, d'un Espagnol, pouvait même ajouter du piment à l'aventure. Mais je n'étais pas amoureuse, je ne le serais jamais, et l'offre de mariage de Ramon Mingote me semblait si ridicule qu'elle en était risible. Seulement, je ne riais pas à cause de ce que je lisais dans ses yeux.

— Vous aimeriez San Matio.

Il parlait plus bas, comme si mon silence lui donnait la réponse dont il avait peur.

— Ma famille a vécu là depuis des générations. Mon père..., il est respecté par tous, considéré

comme l'homme le plus éminent du village. Il est ce
que vous appelleriez, je crois..., le seigneur. Est-ce
le mot correct ?

— Je pense, oui.

— Il se désole parce que je ne suis pas marié.
Avant de vous rencontrer, je n'ai ressenti aucune
affection pour une autre femme. Maintenant, c'est
différent. Madame Fraser... Janet...

Il prononçait mon prénom avec hésitation, l'ac-
centuant d'une manière qui le changeait étrangement.

— A vous et à votre fils, j'offre un bon foyer.
Ma famille vous accueillera avec joie. Puis-je espérer qu'un jour...

— Non.

Je réussissais enfin à dire le mot.

— Je suis très flattée, mais... je regrette.

Un instant, il ne répondit rien. Il était si grand,
si carré d'épaules. Il en imposait. Et pourtant, ce
soir, dans le salon de ma tante, il avait l'air si plein
d'humilité que je m'en voulais de lui faire de la
peine.

— Est-ce que..., je vous déplais ? demanda-t-il
très bas.

— Non ! Bien sûr que non ! Comment le pourriez-vous ? Vous avez été la bonté même pour Tony
et pour moi. Je vous estime, monsieur Mingote, vous
m'êtes très sympathique, mais... Comment aime-
rais-je un homme que je connais à peine ?

— Et... si je vous laissais... du temps ?

Je le regardais sans le voir. Soudain, je me souvenais de Peter. Mon cher, cher Peter... Je me rap-
pelais le jour, pas tellement ancien, où il m'avait
demandé de l'épouser. C'était à Londres, dans mon

petit logement en sous-sol. Il ne me faisait pas de déclaration cérémonieuse, pas de belles phrases. Ce n'était pas le genre de Peter. Il venait d'essayer des chaussures de football, je m'en souviens. Peter était fanatique de sport. Il était là, un pied sur le bord d'une chaise, il disait :

— Ma petite sœur a envie d'être demoiselle d'honneur. Qu'en penses-tu, Janet ? Ou un grand mariage t'embête-t-il ?

Oui, c'est ainsi que Peter me parla de m'épouser, et tout à coup, considéra que notre mariage et moi, étions chose entendue. Nous étions très amoureux...

— Voulez-vous réfléchir à mon offre ? demanda Ramon Mingote. J'attendrai.

Résolument, je chassai le souvenir de ce jour passé.

— Je suis désolée, monsieur Mingote, dis-je, vraiment désolée. Mais il serait cruel de vous laisser de faux espoirs.

Il baissa les yeux et je vis ses épaules se raidir, puis avec une petite inclinaison de tête, il s'en alla.

— Bonsoir, madame Fraser, dit-il.

Sans bruit, il ferma la porte derrière lui.

*
**

Cette nuit-là, Peter me parut très proche. Peut-être était-ce dû au fait que je me trouvais dans de grandes difficultés, et que la dernière fois où cela s'était produit, c'est parce qu'il était mort. Ou bien, cette proposition de mariage imprévue ressuscitait-elle les souvenirs de cet été, à Londres ?

Nous nous connaissions depuis très peu de temps, Peter et moi, et bien que notre bonheur m'ait semblé durer une existence entière, ce fut une affaire de quelques mois. Des mois si heureux ! La mort et le temps écoulé, sept ans, n'avaient pas effacé en moi l'image de Peter. Je le revoyais aussi nettement que s'il s'était trouvé là, dans ma chambre, devant moi. Il avait des yeux insolents, hardis..., un extraordinaire sens de l'humour. Il riait toujours.

Avec Peter, la vie était amusante, et pleine d'action. Il ne restait jamais inoccupé, il faisait toujours quelque chose, il allait toujours ici ou là... comme si, d'instinct, il savait qu'il ne resterait pas longtemps sur terre et qu'il remplissait le présent de tout ce qu'il ne ferait pas dans le futur.

Après coup, il me semble que ces mois, l'été se fondant dans l'automne, furent autant de mois ensoleillés. Peter était à l'université quand je le rencontrai. Il détestait cela et séchait les cours chaque fois qu'il le pouvait, pour ne pas, disait-il, se farcir la tête de faits qui ne l'intéressaient pas. La vie était faite pour être vécue, selon lui. Il aimait le grand air, il adorait sa moto et la possibilité qu'elle lui procurait de mettre des milles et des milles entre lui et la vie réelle. Pour lui, la vie « réelle », c'était Londres. Et les études. Et les examens dont s'inquiétaient ses parents. Il échouerait, il le savait d'avance.

Cet été-là, nous nous efforçâmes de rayer l'avenir de notre pensée et de ne nous soucier que du présent. Nous étions jeunes, nous étions amoureux. Comme je l'aimais ! C'était à la fois pour moi l'extase et la torture. Il n'y avait rien ni personne en ce qui me concernait, seulement Peter. Derrière lui, sur sa moto, je me cramponnais à lui, le vent me soufflant au visage, enivrée par la vibration du moteur tandis que nous foncions dans la campagne.

Je n'étais pas avec Peter le jour de l'accident. Négligeant une conférence, il allait vers la côte. Ce fut son ami Alan qui m'apporta la nouvelle.

Mort !

Je me rappelle mon angoisse et mon chagrin, l'horrible certitude que, pour moi aussi, la vie était finie. Et puis, même avec ce désir de mourir avec Peter, j'avais appuyé ma main contre mon corps. Je ne pouvais rien sentir encore, mais je savais qu'il recélait les pulsations d'une vie nouvelle. Et il me fallait continuer à vivre pour l'enfant qui viendrait au monde.

L'enfant de Peter.

.**.

Je m'éveillai en sursaut. C'étaient les petites heures du matin, le matin qui suivit la mort de tante May, et je ne savais pas ce qui m'avait réveillée. Peut-être l'intuition maternelle. D'un seul coup, le sommeil me quittait. Je me dressai, l'oreille tendue.

A travers la mince cloison qui me séparait de la chambre de Tony, j'entendis, ce que j'entendais si souvent, l'appel étranglé : « M'man ! » mêlé au râle de l'effort de respiration. Je bondis à bas de mon lit, hors de ma chambre avant qu'il ne se reproduise. J'ouvris la porte et j'allumai.

Il était assis sur son lit, ses yeux agrandis et

trop brillants, tout son corps secoué par la lutte
contre la suffocation, contre la mort. Ce combat
effrayait l'enfant autant qu'il m'effrayait, et plus il
avait peur, plus il étouffait.

— Sois tranquille, ne bouge pas ! suppliai-je. Je
suis là, mon chéri. Cela va passer.

Tony souffrait de ces crises d'asthme depuis sa
petite enfance ; nous y étions habitués, mais cette
crise-là était pire que les autres, si terrifiante par son
intensité que je crus vraiment que l'enfant ne la
surmonterait pas. Un médecin ! Il fallait un médecin, vite !

Je me rappelai qu'il y avait un médecin à l'hôtel : l'Espagnol. J'allai frapper désespérément à
sa porte.

— Bien sûr, je viens, dit-il en endossant une
robe de chambre.

Notre médecin de famille n'aurait pu être plus
doux que cet étranger. D'un ton apaisant, il parla à
Tony, il me demanda quel traitement était prescrit,
puis, penché sur le petit garçon, il s'appliqua à le
calmer, à le rassurer.

— C'est une épreuve cruelle, me dit-il.

Pendant très longtemps, on n'entendit dans la
chambre que le souffle spasmodique de Tony, ses
sanglots étranglés.

Et puis, lentement, je ne sais combien de temps
après car j'avais perdu la notion des minutes, la respiration devint plus facile, les mains crispées se
détendirent, Tony, exténué, retomba sur son oreiller.
Pour la première fois, nous aussi respirâmes libre-
ment.

— A San Matio, il n'y a pas d'asthmatiques, dit

seulement Ramon Mingote. L'air de la montagne est très pur.

— Votre village doit être un endroit merveilleux..., dit Tony d'une voix ensommeillée.

— Oui, c'est vrai, répondit Ramon.

Son regard croisa le mien.

CHAPITRE III

Mon cousin et sa femme arrivèrent à l'hôtel le matin de l'enterrement, vêtus de sombre tous les deux, Max en costume foncé, Joyce tout en noir. Elle portait un manteau visiblement neuf, avec une toque de fourrure, l'un et l'autre élégants et ayant sûrement coûté cher. Bien qu'ils n'eussent pas vu tante May depuis beaucoup de temps, ils arboraient une expression aussi lamentable que s'ils avaient perdu quelqu'un de très cher et de très proche.

— Je ne puis y croire ! dit Max, regardant les fleurs qui s'entassaient au fond du salon. Je m'imaginais que la pauvre vieille vivrait éternellement. Elle était si solide !

— Tout est exactement tel que je m'en souvenais, dit Joyce.

Rien n'échappa à son regard tandis que je les escortais, son mari et elle, à travers l'hôtel jusqu'aux appartements privés. Les meubles, l'état des murs, le nombre de clients, elle prenait note de tout.

— Rien n'a changé. C'est presque comme si nous revenions en arrière jusqu'aux premiers temps de notre mariage, quand nous venions passer les vacances ici avec les enfants !

— Maintenant, vous allez ailleurs ? A l'étranger ?

— Avec l'école, dit Joyce très vite, nous y sommes obligés. Max est directeur des études, vous savez... Il a des devoirs à remplir.

— J'ai emmené un groupe en Grèce l'année dernière, ajouta Max. Les gosses voyagent, de nos jours. C'est bon pour eux.

— Tante May avait de la peine, dis-je, parce que vous ne veniez jamais la voir.

Max eut l'air gêné.

— Je ne sais comment cela s'est fait... Nous comptions toujours venir, et puis les années passaient et nous n'y parvenions pas.

— Il a toujours beaucoup à faire, expliqua Joyce. Etre directeur des études implique de lourdes responsabilités. Et nous écrivions régulièrement.

Ils écrivaient, oui. J'avais vu les lettres, quelques-unes signées de Max, parfois écrites par Joyce, rangées dans un tiroir du secrétaire de tante May. Mais en sept ans, ils n'étaient pas venus une seule fois et il me semblait tellement injuste que ce testament, rédigé au temps où elle les voyait souvent, fût encore valide.

Les années n'avaient pas bien traité Max. L'âge, — il était de beaucoup mon aîné —, avait épaissi sa taille et accentué l'ombre bleue qui lui encadrait le menton. Ses cheveux, tirant jadis sur le blond ardent, avaient pris une teinte indéfinissable, et ce qu'il en res'ait s'écartait de son visage, lui laissant un front immense. Il portait des lunettes à épaisse monture. Joyce n'avait guère changé, sauf que sa terne chevelure, avec l'aide d'une teinture, était

devenue blonde, ce qui ne s'harmonisait pas avec
son teint. Elle était mince, presque maigre, et
aujourd'hui comme toujours, trop élégante.

A dessein, je ne parlai pas du testament.

Un de nos pensionnaires permanents, un
commandant en retraite, allant voir des parents dans
le Kent, m'avait offert d'emmener Tony, une maison
en deuil n'étant pas la place d'un enfant, disait-il.
J'avais accepté avec joie et ils étaient partis de
bonne heure. Un membre du personnel devait garder l'hôtel pendant le service funèbre ; j'étais libérée de toute responsabilité.

Mais en revoyant mes cousins, je regrettais
d'avoir dû les inviter à l'enterrement de tante May
Je n'avais jamais aimé Joyce, et maintenant, au
moment de partir pour l'église, je remarquais son
expression et je devinais sa pensée. Celle de Max
aussi : qu'allaient-ils retirer de la mort de leur
tante ? Ils ne devaient pas s'attendre à hériter de
tout, mais ils espéraient certainement quelque chose,
et mentalement, ils supputaient la valeur de l'hôtel,
et ce qu'ils supposaient devoir revenir à eux et à
moi.

Il faisait gris et le vent soufflait ; de gros nuages pesaient dans le ciel et on entendait tonner au
loin : la mer rejaillissait sur les galets de la côte.
J'avais si souvent entendu cela !

Continuerais-je à l'entendre ?

Cela dépendait de Max. Hier, après de doulou-
reuses réflexions, j'étais parvenue à me décider ;
l'orgueil était un luxe que je ne pouvais plus me
permettre, et pour Tony, je devais faire ce qu'au
premier abord j'estimais impossible : après la céro-
monie, en montrant le testament à mon cousin, je
lui demanderais de me laisser la gérance de l'affaire.

Au notaire qui parlait de cela, j'avais opposé un
« non » énergique, mais depuis lors, j'avais eu le
temps de me renseigner, de chercher un logis, un
emploi... Le résultat de mes efforts se révélait décou-
rageant. Les logements semblaient aussi rares que
des pépites d'or et presque aussi coûteux, et mes
demandes d'emploi, comportant le logement et la
possibilité de garder mon fils auprès de moi, rencontraient des refus catégoriques. « Un enfant ? me
disait-on aux agences interrogées auxquelles je tentais
d'exposer mon cas, oui... c'est parfois autorisé. Très
rarement. Avec de la chance... Mais pour le moment,
nous regrettons... » Personne n'avait rien à m'offrir.
Par force, il me fallait donc revenir au conseil du
notaire. Je détesterais travailler pour Max, mais s'il
voulait garder l'hôtel, ce pourrait être une solution.
Tout au moins jusqu'à ce que Tony soit plus grand.

La porte de ma chambre s'ouvrit.

— Ils mettent les fleurs dans la voiture, dit Max.
Es-tu prête ?

Je mis mon manteau.

Tante May fut enterrée dans le grand cimetière qui s'étalait sans ordre au flanc de la colline.
Ce fut une cérémonie très simple, avec le pasteur et
nous trois groupés autour de la tombe ouverte.
J'avais voulu cet enterrement modeste. Max et son
costume foncé, Joyse et ses vêtements noirs, qu'est-
ce que cela signifiait ? Les signes extérieurs de leur
deuil n'étaient que comédie : moi seule avais de la
peine. Tante May pouvait être irritante, exigeante,
mais tout mon univers avait tourné autour d'elle.
J'avais dépendu d'elle pendant sept ans. Et c'était
fini.

C'était la soudaineté inattendue de l'événement
qui m'écrasait.

Il y a une semaine, regardant le calendrier, tante May n'aurait pas pu prévoir ce qui se passait aujourd'hui. Tous, nous pensons à la mort comme à une chose qui frappe les autres, les amis, les voisins, les parents, mais jamais nous. C'est pour cela qu'elle n'avait pas pris la peine de rédiger un nouveau testament. Si elle avait prévu sa mort, elle l'avait vue lointaine et non pas toute proche. C'était, de sa part, de l'inconséquence, non une mauvaise intention qui me laissait dans cette situation difficile. Peut-être Max comprendrait-il, et...

Mais déjà, au bord de la tombe, voyant leurs visages durs, je savais que Joyce ne voudrait rien comprendre. L'hôtel leur appartenait légalement, il resterait leur propriété.

Les termes familiers du service mortuaire passaient à demi entendus, au-dessus de ma tête. Que serais-je devenue sans tante May ? A la mort de Peter, quand je ne savais où aller, elle m'avait accueillie, sans conditions, sans reproches. Alors, comme maintenant, j'avais un cruel besoin d'un foyer : sans hésitation, elle me l'avait donné.

Peter...

C'était aussi un jour gris, un jour de vent, le jour où l'on avait enterré Peter. En écoutant les paroles prononcées au-dessus du cercueil de tante May, les mêmes que celles prononcées pour Peter, je sentais les années s'effacer. Une autre tombe dans un autre cimetière. A Londres, cette fois-là. Et autour de la tombe, des gens différents.

Je n'étais pas avec eux. Sous le couvert d'un arbre, à l'écart, j'observais seulement. La mère de Peter. Le père de Peter. La sœur de Peter, sa tante, deux oncles, un grand-père. D'après ses descriptions, je les reconnaissais. Son ami Alan se trouvait parmi eux. Alan, seul, était au courant de mon existence. La veille de l'enterrement, il m'avait dit :

— Venez avec moi, Janet, je vous emmènerai. Nul n'a plus que vous le droit d'être là.

Je refusai.

Cela n'aurait pas été juste. Ils avaient droit à leurs souvenirs de Peter, Peter, le fils, le frère, le neveu. Si je leur étais présentée, s'ils apprenaient combien ils connaissaient peu l'un des leurs, ils souffriraient, ils seraient furieux peut-être, pleins de rancune, non pas furieux contre moi mais contre lui. Surtout sa mère.

Je ne voulais pas cela. Alors, pendant les funérailles de Peter, je restai à l'arrière-plan. Ils ne surent jamais rien de moi. Ils n'entendirent jamais parler de Tony.

Cela valait mieux.

— Janet ?

La main de Max se posa sur mon bras.

— C'est fini, Janet. Viens.

Nous quittâmes le cimetière pour gagner la voiture et j'aperçus, à quelque distance, une silhouette. Il restait discrètement à l'écart, tout comme moi dans le cimetière de Londres.

Ramon Mingote.

*
* *

De retour à l'hôtel, ce fut un effort que paraître à l'aise. J'aurais voulu qu'ils ne soient pas là. Ils comptaient passer la nuit, Max et Joyce, et partir tôt le lendemain. Tout au moins était-ce leur intention. Ils ne savaient pas encore que l'hôtel était à eux, pas à moi. Peut-être, quand ils apprendraient cela, modifieraient-ils leurs projets.

Le notaire m'avait proposé de lui laisser le soin
d'annoncer à mes cousins la nouvelle de leur héritage : j'avais refusé. Maintenant, je le regrettais. Je
ne savais comment m'y prendre : déclarer brutalement la chose, ou l'amener petit à petit. Ils sau-
raient que c'était un coup pour moi, mais je voulais
éviter de laisser voir mon amertume car j'avais un
service à leur demander. Cette perspective me faisait mal.

Annie avait préparé un repas pour nous. Max
mangea avec appétit. Je repoussai mon assiette,
ayant à peine touché à ce qu'elle contenait. Nous
étions gênés tous les trois : comment pourrait-on
converser agréablement avec des cousins qui vont
vous enlever tout ce qui est réellement vôtre ? On
ne parlait pas encore du testament, mais je sentais
qu'ils attendaient que j'y fasse allusion. Surtout
Joyce. Elle se montrait polie, mais derrière ses questions sur Tony, sa santé, son âge, ses études, je
devinais qu'elle pensait : « Allez-y ! Ne gardez pas
les nouvelles pour vous seule ! Décidez-vous ! »

Et brusquement, elle mit la conversation sur
tante May.

— Dans ses lettres, elle disait toujours que les
affaires marchaient bien.

Ses yeux gris, durs comme des billes, exprimaient une volonté déterminée.

— C'était pratique pour elle de vous avoir là
pour tout diriger !

— Je l'ai fait avec joie.

— Si le repas que nous venons de manger est
un échantillon de ce que vous servez à vos hôtes,
il n'est pas surprenant que vous ayez un nombre
appréciable de clients réguliers ! observa Max avec
une visible admiration.

— Elle a laissé la maison se dégrader quelque peu, déclara Joyce, désireuse d'exprimer des critiques. Il faudrait tout moderniser ; n'est-ce pas votre avis ?

Instinctivement, je me raidis.

— Tante May était économe.

— Cela se voit. Je parle de la décoration... Ou bien, elle manquait d'imagination. Vous devez avoir vos idées sur la question... et maintenant..., l'hôtel est à vous...

Elle se forçait à prendre un ton naturel.

— Je pense que vous avez l'intention de continuer ?

Je ne fume guère. Parfois seulement. Uniquement quand je suis tendue. Je m'approchai d'une petite table et je pris une des cigarettes de tante May, puis j'allumai son briquet.

— Comptes-tu rester ? demanda Max.

Ma main tremblait tellement que la flamme du briquet vacilla.

— Cela dépend...

— Cela dépend ? répéta mon cousin

Avec une nonchalance voulue, il se leva et alla écarter le rideau de la fenêtre. Il n'y avait aucune vue. Il se retourna et me regarda en face.

— De quoi cela dépend-il ?

— De toi.

— De moi ?

Ses yeux, tout petits derrière les grosses lunettes, cillèrent d'étonnement.

— Que veux-tu dire ? demanda-t-il. Pourquoi moi ?

— Parce que..., l'hôtel est à toi. D'après le seul testament que j'aie trouvé, c'est ce qu'elle a voulu. Elle te laisse tout.

J'émis un petit rire que j'espérais fataliste.

— Tu ne t'attendais pas à ça, je pense ?

Max s'assit lentement, la bouche légèrement ouverte, un regard incrédule fixé sur mon visage. Il secoua la tête.

— Non, je ne m'attendais pas...

Joyce, très excitée, courut à lui et saisit son bras.

— Nous pensions, ajouta-t-il, que vivant avec elle..., tu hériterais de tout.

J'ouvris le secrétaire, je pris le testament et le posai sur la table.

J'avais besoin de cette cigarette. Comme j'en avais besoin ! Pendant qu'ils lisaient le mince document qui représentait les volontés de tante May, je m'activais dans la pièce, mettant la vaisselle sur la table roulante, arrangeant les coussins. Je n'osais pas regarder mes cousins. J'entendais Joyce parler tout bas avec agitation... Je me mordis les lèvres et, avec effort, je me retournai. Ils avaient posé le testament, et assis sur le canapé, ils m'observaient. Joyce était toute rouge.

Max prit une profonde respiration.

— C'est un sale coup pour toi, dit-il avec lenteur. Ou bien... la vieille t'avait-elle avertie

— Rappelle-toi que tu étais son filleul ! dit Joyce. Elle t'aimait beaucoup.

— Mais me laisser tout ! Je n'aurais jamais cru ça.

— Ni moi, dis-je.

Avec effort, je gardais un ton calme.

— Elle m'avait toujours promis... Mais vous devinez ce qui s'est passé : elle n'a jamais modifié son testament.

— Une chance pour moi..., une malchance pour

toi. Ou peut-être t'avait-elle fait... des cadeaux ?
Ainsi, tu aurais eu ta part de son vivant ?

— Tu plaisantes ! J'avais le vivre et le couvert..., et des promesses.

J'étais résolue à ne pas pleurer.

— Des promesses fallacieuses, ainsi que nous
le voyons.

Max paraissait mal à l'aise.

— Tu étais son filleul, répéta Joyce. C'est pour
cela que tu hérites de tout.

— Probablement...

La voix de Joyce devenait stridente.

— Un filleul est quelqu'un d'exceptionnel. Oh !
c'est comme un rêve réalisé !

Mon cousin me jeta un regard dubitatif.

— Que vas-tu faire, Janet ?

Je savais bien ce que je voulais faire : saisir ce
document et le déchirer en cent morceaux, puis les
faire avaler à Joyce. Le déchirer... Peut-être aurais-
je dû faire cela le jour de la mort de tante May.
Personne n'en aurait rien su. Quelle est la loi sur les
successions ? S'il n'existe pas de testament, Max et
moi aurions eu droit, sans doute, chacun à une moitié de l'héritage, tandis qu'à présent il avait tout et
je n'avais rien. Est-on parfois trop honnête ? Peut-
être... Seulement je n'aurais pas pu vivre si j'avais
pris ce qui ne m'appartenait pas légalement. Et
maintenant...

— Maintenant, je pensais que l'affaire étant à
toi...

Je pesais prudemment mes termes et mes phrases.

— Comme tu vis loin d'ici, sans doute auras-tu
besoin d'une gérante. Nous pourrions peut-être nous
arranger.

Ils échangèrent un coup d'œil.

— Je regrette, dit Max, mais nous allons nous installer ici. Vois-tu, c'est ce que j'ai toujours désiré : une affaire à moi ! Je déteste enseigner, et tous ces maudits garnements... C'est comme dit Joyce, un rêve qui se réalise.

— Cet hôtel offre des possibilités, déclara Joyce. Nous moderniserons... Nous pourrions construire par derrière, je pense.

Très excitée, elle se tourna vers son mari.

— Quand Janet sera partie, cela fera deux chambres de plus pour les clients.

— Du calme ! Janet va croire que nous la jetons dehors !

— Elle sait bien que nous ne ferions pas cela. Je parle du moment où elle aura trouvé un autre logement.

J'avais envie de hurler.

Soudain, je fus frappée par leur silence. Je suppose que mon visage exprimait l'enfer que je traversais... Max s'agitait gauchement.

— Ce n'est pas de chance ! dit-il. Peut-être pourrions-nous prendre sur la succession pour te faire un don... mille livres : cela t'aiderait à voir venir.

— Max ! s'exclama Joyce effarée. Pour réaliser tous mes projets dans l'hôtel, il faudra beaucoup d'argent. Nous allons être plutôt à court...

— Alors... cinq cents livres ? Cela peut te rendre service.

Il avait de bonnes intentions, mais aux yeux de Joyce, toute somme qu'il me verserait ne serait mienne que par charité. Je n'allais accepter la charité de personne, et avant tout, pas de Joyce.

— Ne vous inquiétez pas de moi, dis-je vivement. Je me débrouillerai. J'ai des projets.

Je pris un plateau et je sortis de la pièce.

⁂

Un nouvel arrivant se faisait inscrire à la réception quand je traversai le vestibule. Je ne m'en occupai pas. L'hôtel était à Max désormais, pas à moi. La poignée de la porte d'entrée m'échappa de la main et comme la porte claquait, j'entendis, derrière moi, quelqu'un m'appeler.

Qu'ils m'appellent donc !

Depuis sept ans, j'étais au service des clients. C'était : « Madame Fraser, pourriez-vous me procurer... » » « Madame Fraser, je voudrais... » Eh bien, j'en avais assez de servir les autres, de faire les quatre volontés de tous les étrangers qui s'adressaient par hasard à l'hôtel pour y coucher ou prendre leurs repas. J'en avais assez de tout.

Le vent qui soufflait depuis le matin se transformait en tempête, et en gagnant la promenade, je fus prise dans une rafale qui me heurta et fit voler mes cheveux dans toutes les directions. Je ne m'en souciai pas. Les vagues bondissaient sur la plage, et l'air était chargé d'embruns dont je goûtais le sel sur mes lèvres. La mer était en colère, comme moi. La marée était presque pleine et l'eau avait la couleur de plomb du ciel. Il n'y avait presque personne sur la promenade, les bancs étaient vides ; la jetée elle-même, battue par les vagues grises, était mélancolique et déserte.

Il était facile de dire à Max que j'avais des projets ! Vantardise courageuse mais vide. Pourtant, il me fallait quitter l'hôtel, et vite. Je n'avais pas d'argent. Presque pas. Si je fonçais et partais demain, je ne pouvais espérer vivre dans un confort approximatif que deux ou trois semaines, pas davantage. Et après cela... ?

Une main effleura mon bras.

— Je vous ai appelée, dit une voix familière, mais vous étiez si pressée que vous ne m'avez pas entendu.

Je tournai la tête.

Ainsi, c'était Ramon Mingote qui avait tenté de me retenir. Il se tenait à mon côté, si grand que ma tête arrivait juste au-dessus de son épaule. Ses cheveux, comme les miens, se dressaient dans le vent. Son regard m'observait avec anxiété.

— Je savais que vous étiez angoissée. Je vous en prie... Je ne voudrais pas être indiscret, mais votre cousin... ?

Avec hésitation, il demanda enfin :

— Il ne permet pas que vous dirigiez encore l'hôtel ?

— Il a l'intention de venir vivre ici. De lâcher sa situation. Pas un instant, je n'avais pensé qu'il prendrait une décision aussi précipitée.

— C'est désolant.

— Désolant !

Mes mains tombèrent avec force sur la balustrade et l'entourèrent.

— C'est ce que le notaire me disait. Ce n'est pas désolant, je vous assure. C'est injuste ! Si cruellement injuste !

Doucement, il détacha mes mains de la barre de fer, et prenant mon bras, il le glissa sous le sien. Il se mit à marcher le long de la promenade, et tout naturellement, je marchai près de lui.

— Qu'allez-vous faire ?

— Je pense que je trouverai un emploi. Max ne me bousculera pas. C'est seulement l'incertitude, et... Monsieur Mingote, vous êtes un interlocuteur patient. Je n'ai pas le droit de vous infliger mes ennuis.

Il avait raccourci son grand pas pour s'adapter au mien.

— Pour moi, vos ennuis sont importants.

Je savais ce qu'il voulait dire. Machinalement, me souvenant de notre dernière conversation tête à tête, je lui retirai mon bras. Il s'arrêta brusquement et, mettant une main sur mon épaule, il m'obligea à m'arrêter aussi. J'entendais la mer dont le grondement furieux cherchait à noyer sa voix..., à moins que ce ne fût le vent qui emportait les mots prononcés très bas.

— La dernière fois que nous avons parlé...

Ses yeux, ses yeux sombres et sérieux interrogeaient anxieusement mon visage.

— J'ose vous poser une question : avez-vous réfléchi ?

— Je vous ai donné ma réponse.

— Pourtant, j'espère encore. Janet...

De nouveau, il prononçait mon nom en hésitant.

— Si vous m'épousez, je vous rendrai heureuse. Je vous en fais la promesse. Croyez-vous à... Oh ! Quel est le mot ?

Il fit un geste impatient.

— Parfois, il m'est difficile d'exprimer ma pensée dans votre langue !

Je soufflai :

— Au destin ?

— Oui, c'est le mot. Janet, croyez-vous à cette chose qu'on appelle la destinée ?

— Oui.

— Alors, ne voyez-vous pas...

Dans son agitation, il dit quelques mots en espagnol, puis revenant prestement à l'anglais, il continua :

— Sûrement, c'était écrit ! Tout ! Ma présence ici, la mort inattendue de votre tante, vos difficultés. Alors je vous le demande encore : puis-je écrire à mon père et lui dire que j'amènerai à San Matio... ma femme ?

Quelle suggestion ridicule ! Et pourtant... Le vacarme de la mer, des vagues frappant les galets faisait écho à ma colère, ma colère contre Max, contre la malchance. Je repoussai les cheveux qui retombaient sur mes yeux. Il fallait réfléchir. Réfléchir posément. Ridicule, oui ; pourtant, mariée à Ramon Mingote, je n'aurais plus de soucis financiers. Je n'aurais plus à éplucher les colonnes d'offres d'emploi dans les journaux. Je n'aurais plus à m'inquiéter de Tony en essayant de combiner une carrière et la maternité. Comme il me l'avait déjà dit, Ramon m'offrait beaucoup de choses et voilà que ces choses me tentaient soudain. Mais la sympathie n'est pas l'amour, cet amour que nous éprouvions l'un pour l'autre, Peter et moi.

— Je regrette, mais...

— Je n'accepte pas votre refus. La destinée !

Il me prit la main.

— La destinée ! répéta-t-il. Aujourd'hui, vous pouvez dire non, mais je suis patient. Je reviendrai le mois prochain et je vous demanderai la même chose. Un mois plus tard, je reviendrai encore vous poser la même question.

Sa voix pressante allait très mal avec son habituelle réserve. Une femme fut-elle jamais tentée comme je l'étais en cet instant ? Différence d'âge, différence de nationalité, était-ce important à ce point ? Il serait si bon de dire à Max que je n'avais pas besoin de sa charité...

Mais je ne connaissais Ramon Mingote que depuis trois semaines ! C'était de la folie !... Pourtant, ce pouvait être une solution. Peut-être la meilleure solution.

Il continuait.

— Vous avez été mariée déjà. Je comprends que pour lui, votre premier mari, vous garderez toujours une affection spéciale. Mais peut-être pour moi, avec le temps... Est-ce trop espérer que vous trouverez finalement un nouveau bonheur ?

Mon premier mari...

Je ne sais s'il y avait d'autres promeneurs sur le bord de la mer sous le vent sauvage de cet après-midi. Je ne m'en souciais pas. Mon univers se concentrait en Ramon debout, tournant le dos à la plage, à la mer grise, abandonnée par le soleil. Il se réduisait à la décision qu'il me fallait prendre. Oui, j'en étais là maintenant. Au choix. Il était si ardent, si sincère. Chose étrange, il me semblait le connaître comme je n'avais jamais connu Peter. C'était un homme d'honneur. Un homme bon. Un homme que je pourrais aimer, sans doute, non pas de la folle passion, avec la sauvage intensité d'émotion que j'avais connues jadis, mais d'une manière plus calme, non moins sincère. S'il voulait encore de moi.

Car il fallait qu'il soit averti.

Je retirai mes mains des siennes, et avec effort, je le regardai droit dans les yeux.

Je dis simplement :

— Je n'ai pas eu de mari.

Il leva les sourcils.

— Mais... vous m'avez dit vous appeler Mme Fraser... et... Tony ?

— Je ne voudrais pas que vous me jugiez mal. Dieu sait pourtant que vous en avez le droit.

Je choisissais soigneusement mes mots.

— J'étais jeune. Ce n'est pas une excuse, je sais ; mais... Nous étions très jeunes tous les deux. Et j'étais très seule. J'habitais Londres, à cette époque-là, dans une chambre...

Ramon me regardait. Je vis ses yeux s'éclairer : il comprenait tout à coup.

— Je n'avais aucune famille, et Peter...

— Je vous en prie, coupa-t-il. Vous n'avez pas à expliquer.

— Je veux vous expliquer. J'ai rencontré Peter. Vous devinez le reste. Nous étions très épris... Nous comptions nous marier. Oui, il faut que vous consentiez à croire cela. Ses parents voyageaient en Europe, mais à leur retour, il allait me présenter à eux comme sa fiancée.

Un instant, j'eus de la peine à continuer.

— Peter n'a jamais su que j'attendais un enfant. Je voulais le lui dire, mais je n'ai pas pu. Il a été tué. Sur une moto.

J'attendis. Ramon était homme d'honneur. En Espagne, je l'avais lu, le code de moralité est très strict. Je ne lui en aurais pas voulu s'il s'était détourné et éloigné de moi.

Il demanda doucement :

— Quand m'épouserez-vous, Janet ? La semaine prochaine ? Le mois prochain ?

Mon choix était fait.

Et là, sur le bord de la mer, en cet après-midi de tempête, je donnai ma réponse à Ramon Mingote.

CHAPITRE IV

Je me mariai donc et j'allai en Espagne, non l'Espagne des brochures publicitaires pour touristes, non l'Espagne des palaces de béton et des plages-fourmilières, mais une Espagne où le temps semble s'être arrêté, où les villages plantent leurs racines très loin dans le passé. Un pays où l'homme et la mule travaillent en étroite collaboration, où les bergers, houlette en main, veillent sur les moutons qui paissent paresseusement, où les femmes, à genoux près des ruisseaux, étendent les draps fraîchement lavés sur des buissons bas. Une campagne magnifique et reculée. L'Espagne du nord, une partie du pays que fréquentent peu les touristes. Nous parcourûmes l'intérieur des terres, laissant derrière nous l'agitation de Barcelone, laissant derrière nous une série de petites villes, nous dirigeant, au-delà, vers une contrée solitaire, nous dirigeant vers la montagne.

Vers San Matio.

C'était le printemps. Le sol était tapissé de fleurs sauvages, les rivières qui seraient à sec un peu plus tard bruissaient maintenant du murmure de leurs

eaux vives, et les vergers étaient pleins de fruits. Je
ne sais pourquoi, je ne m'attendais pas à voir des
champs verdoyants. J'imaginais toute l'Espagne
aride, rousse et parcheminée. Ramon sembla deviner mes pensées.

— Tout n'est pas toujours aussi vert, dit-il. Tu
viens à la plus belle saison.

Nous allions vers le nord. Comme je m'en souviens bien ! Un voyage irréel qui me sembla durer
une éternité. A quelques heures de Londres seulement, j'avais l'impression d'être à l'autre bout du
monde. Un voyage qui paraissait n'avoir ni commencement ni fin. Les villes traversées, les paysages
aperçus étaient si différents de ce que je quittais, et
dans cette voiture, à part Ramon et Tony, se trouvaient des gens que je ne connaissais pas, des gens
qui, de temps en temps, parlaient anglais pour moi,
mais revenaient vite à leur propre langue.

J'étais une étrangère en pays étranger.

Assise dans la voiture, un bras passé autour de
Tony endormi que je serrais contre moi, j'essayais
de rassembler mes pensées en déroute. Il s'était
passé tant de choses, en si peu de temps ! Machinalement, je regardai à mon doigt l'anneau de Ramon.
Il remplaçait l'anneau doré qu'il y a sept ans,
j'avais acheté et porté, non pas tellement par souci
des convenances, que, Peter disparu, parce que je le
considérais comme le symbole de notre union. A
présent, ce premier anneau, l'anneau de Peter, était
rangé avec mes trésors et, désormais, je devais porter celui que Ramon avait glissé à mon doigt.

Vingt-quatre heures après le mariage, ma main,
chargée de l'anneau de Ramon, me paraissait bizarre.
Comme si elle ne faisait pas partie de moi. Comme
si elle n'était pas à sa place.

Le mariage...

Dans cette voiture qui suivait rapidement son chemin dans un décor inconnu, je me remémorais les événements des dernières vingt-quatre heures. Nous nous étions mariés sans bruit dans ma ville. Sans cérémonie. Sans invités. Après cela, j'avais regagné l'hôtel et dit à Joyce, qui était venue s'y installer pour en prendre la direction, ce que je venais de faire. Elle savait que je comptais partir le lendemain mais elle ignorait que je me mariais. Elle fut très étonnée.

— Vous avez toujours fait des mystères ! dit-elle d'un ton accusateur. Quelle façon de se marier ! Avec des étrangers comme témoins ?... Enfin..., je pense qu'il me faut vous féliciter !

Au lieu de rester là jusqu'au lendemain matin, nous quittâmes l'hôtel dans l'après-midi. La veille, j'avais tout préparé. Nous n'avions pas confié notre secret à Tony, sachant qu'il ne pourrait jamais le garder pour lui. Et je ne l'avais pas emmené à la cérémonie, je ne sais pourquoi... Peut-être parce que, s'il assistait à mon mariage avec Ramon, je craignais qu'il ne m'interroge sur mon mariage avec son père. Il faudrait bien qu'un jour il sache la vérité, mais pas encore. Quand il apprit que j'épousais Ramon et que nous partions pour l'Espagne, il fut ravi. Je m'y attendais. Il aimait beaucoup Ramon.

Comme j'emballais nos dernières affaires dans une valise, il m'embrassa, puis embrassa Ramon, et il parla sans discontinuer. Allait-il vraiment monter en avion ? Ne reviendrait-il pas ici ? Jamais ? Etait-ce vrai, comme disait M. Mingote... il hésita, puis se reprit et dit « mon père » ainsi que je lui avais recommandé. Etait-il vrai qu'il respirerait mieux dans la montagne ? Et si San Matio était situé si haut, comment arriverions-nous jusque-là ? Il ne pensait pas pouvoir escalader une montagne. Pas une grande montagne.

Oui : j'avais bien fait d'épouser Ramon.

Deux heures après le mariage, nous quittâmes donc l'hôtel, sans bruit, n'emportant que le strict nécessaire. Annie, mise dans le secret depuis le début, avait promis de s'occuper de ce que nous laissions par force, Tony et moi, et d'en disposer. Les clients ne surent même pas que nous partions : je le désirais ainsi.

Ramon avait retenu des chambres dans un hôtel de Londres et c'est là que nous passâmes notre nuit de noces.

Ce matin, nous avions pris l'avion pour Barcelone. Je n'avais jamais quitté l'Angleterre, mais une fois en l'air, je perdis toute appréhension. Naturellement, j'étais excitée par le voyage ; encore et encore, considérant l'océan de nuages vaporeux que nous survolions, je me répétais que j'avais pris la bonne décision, la décision raisonnable. Il me fallait oublier le passé et considérer l'avenir, penser à Ramon. Même Peter, mon cher Peter, n'aurait pu se montrer plus délicat, plus compréhensif ; il n'y a pas loin de la sympathie à l'amour et j'étais résolue à ce que notre mariage, si étrangement contracté, soit un mariage heureux. Je ferais le bonheur de Ramon... Instinctivement, je glissai ma main sous son bras, et tout surpris, il me sourit.

— Ma femme... ! Ma très chère femme ! murmura-t-il.

Ses doigts enlacèrent les miens.

Ce ne fut qu'en baissant les yeux sur l'alliance que je me sentis gênée.

Il y avait foule, naturellement, dans l'aéroport de Barcelone, beaucoup de bruit et d'agitation. Tony, les yeux ronds, me tenait la main en regardant autour de lui avec ébahissement. Ramon lui caressa les cheveux.

— Eh bien, mon bonhomme, que penses-tu de ton premier vol ? demanda-t-il.

Puis nous fûmes pris dans la ronde des formalités, contrôle des passeports, douane, bagages. Je laissai tomber mon foulard et quelqu'un le ramassa en disant : « Señora »... Un seul petit mot : señora », mais il me mettait en face de la décision irrévocable que j'avais prise.

Señora Mingote... J'éprouvais l'impression bizarre d'être sortie de ma peau pour entrer dans celle d'une autre. Comme pour l'anneau, le nom ne me semblait pas être à moi.

Mon angoisse devait se voir.

— Ne sois pas si inquiète, me dit Ramon.

Nous suivions le porteur qui se dirigeait vers la sortie avec nos bagages. Dans la salle de l'aérogare, j'apercevais des groupes de gens qui attendaient les voyageurs.

— Ma famille t'aimera beaucoup. Et je crois que tu les aimeras aussi.

Nous franchîmes la porte, et tout à coup, cela se produisit. Nous fûmes entourés, ou plutôt Ramon fut entouré. Pendant une ou deux minutes, tout ce que je vis fut une grappe de gens, surtout des femmes, et au milieu, mon mari qui semblait m'avoir momentanément oubliée en s'entretenant avec sa famille. Il y eut beaucoup de baisers sur des joues, chacun embrassant et étant embrassé, beaucoup de paroles. On aurait pu croire que Ramon était un voyageur perdu, parti de chez lui depuis des années.

Prenant Tony avec moi, je m'écartai un peu.

Il devait y avoir neuf ou dix personnes dans le groupe qui accueillait Ramon. Des femmes élégamment vêtues, surtout de couleurs sombres, aux cheveux parfaitement coiffés. Je reconnus sa mère, Doña Teresa, car elle ressemblait tant à Ramon. Plus grande que les autres, c'était une dame assez âgée, très digne, très droite. Je ne pouvais que deviner l'identité de ses compagnons, des cousins, des tantes, deux oncles.

Le groupe s'ouvrit : Ramon en émergea pour venir à moi. La main sur mon bras, il me conduit à la femme que j'avais bien reconnue pour sa mère.

— Voilà ma femme, dit-il en anglais, avec une indéniable nuance d'orgueil dans la voix. Janet.

Doña Teresa prit mes mains dans les siennes, sans rien dire. Pour Ramon, je désirais faire bonne impression et entre Londres et Barcelone, je m'étais répété une phrase à prononcer à l'arrivée pour saluer ma belle-mère en espagnol, mais les mots, à présent, me restaient dans la gorge. Je savais si bien ce qu'ils pensaient : j'étais trop jeune pour Ramon, notre mariage brusqué était un étrange mariage. Entre eux, peut-être même le disaient-ils absurde. Ils étaient tous là, muets, attendant pour suivre l'exemple de Doña Teresa. Je sentais ses yeux noirs qui m'étudiaient..., puis les yeux sourirent et lentement le sourire gagna les lèvres.

— Soyez la bienvenue ! dit-elle.

Et elle m'embrassa chaleureusement.

Alors ils m'embrassèrent tous, me souhaitant aussi la bienvenue. L'un des hommes, un bon gros jovial dont le visage ressemblait à une noix ridée sous un béret noir, — j'appris plus tard que c'était l'oncle Jorge, — souleva Tony à la hauteur de ses épaules. Les femmes lui donnèrent des bonbons. Les baisers se multipliaient. Une des tantes baisait la main de l'enfant, maintenant assis sur l'épaule d'oncle Jorge : elle ne pouvait atteindre sa joue. Tous jacassaient avec excitation, en espagnol, et parlaient si vite que je ne comprenais rien. Indifférente aux regards curieux des autres voyageurs, la famille Mingote traversa la salle de l'aérogare et gagna l'extérieur, en procession triomphale. Tony, un peu effrayé, se retourna et leva une main suppliante en appelant « M'man ! »

Ramon et moi nous hâtâmes de le rejoindre.

— Bien sûr, il veut sa *madre !* se disaient-ils quand nous les eûmes rattrapés dans le parking. Ces cheveux si blonds ! Ces yeux si bleus !

D'autres baisers suivaient, d'autres bonbons.

Assise dans la voiture, Doña Teresa se tourna vers moi.

— Votre fils vous ressemble, dit-elle avec un sourire approbateur. Il a votre coloration.

Elle parut m'oublier et s'adressa à Ramon. Celui-ci était à l'avant, auprès d'oncle Jorge qui conduisait. Revenant à l'espagnol, elle lui fit un rapport de tout ce qui s'était passé à San Matio pendant son absence.

J'entourai Tony de mon bras et je le tins tout contre moi.

— Est-ce qu'en Espagne, les gens sont toujours aussi excités ? murmura-t-il à mon oreille.

— C'est leur manière d'être.

— Mais Père...

Le terme me paraissait encore étrange venant de Tony.

— Père n'est pas comme ça.

En silence, il écouta le torrent de paroles inintelligibles pour lui qui passait au-dessus de sa tête, prononcées avec rapidité par nos compagnons, et son front se plissa.

— Comment ferai-je mes leçons si tout le monde ici ne parle qu'espagnol ?

— Tu apprendras à le parler aussi.

— Vraiment ? demanda l'enfant d'un air dubitatif.

Ensuite, il ne dit plus rien.

Cela se passait... Quand cela ? Je ne sais plus. Ce voyage dans ce décor si peu familier, parmi des étrangers, me sembla interminable. Ce n'était que le printemps mais l'air qui entrait par les fenêtres ouvertes de la voiture était chaud, comme l'air, chez nous, en plein été. Tony, fatigué, s'endormit. Je m'engourdissais. J'écoutais les voix de mes compagnons, mais à peine entendais-je les paroles, sauf comme un bruit de fond accompagnant celui du moteur. La voiture était spacieuse : Ramon, oncle Jorge et une tante étaient assis devant, j'étais derrière avec Doña Teresa et Tony. Le reste de la famille suivait, dans leurs voitures personnelles.

D'abord, nous roulâmes dans les larges rues de Barcelone, puis dans les faubourgs : d'un œil, je regardais au-dehors, d'une oreille, j'écoutais ce qui se disait autour de moi. Mon espagnol était vraiment élémentaire, et ils parlaient si vite que j'avais peine à suivre le sens de la conversation, d'autant plus qu'il s'agissait de gens ignorés de moi. De temps à autre, Ramon se tournait vers moi pour voir si j'étais bien.

— Fatiguée ? me demanda-t-il.

Je hochai la tête.

— Dans ce cas, vous devriez essayer de dormir

un peu, me dit Doña Teresa, car vous ne pourrez
pas vous coucher avant plusieurs heures. Ce soir, à
San Matio, il y aura une fête en votre honneur.

— Déjà ? dit Ramon.

Il semblait mécontent.

— Mais bien sûr ! Notre fils amène sa femme
à la maison, les gens du village comptent sur une
fête.

Fronçant les sourcils, elle donna une petite tape
à son fils avec l'éventail qu'elle avait tiré de son sac.

— Tu aurais dû nous mettre dans le secret. Ton
père aurait aimé assister au mariage... mais ta lettre
ne nous est parvenue qu'hier matin. Nous ne pouvions y croire ! Toi, notre fils aîné, tu te mariais
et tu ne nous invitais pas !

Elle parlait anglais pour que je comprenne, je
pense, et que j'enregistre le reproche.

— Je sais, je sais ; dans ta lettre, tu disais que
ce serait un mariage dans l'intimité, mais nous sommes tes parents et nous aurions voulu être là. De
toute façon, nous nous réjouissons de ton bonheur
et, maintenant, nous entendons que nos amis se
réjouissent avec nous.

Elle se remit à parler espagnol, commençant
par une phrase que je ne compris pas, de sorte qu'ensuite le sens de ses paroles fut perdu pour moi.

Ramon se retourna avec un geste fataliste.

— C'est le désir de mon père que le peuple de
San Matio partage notre joie, me dit-il. Il y aura
fête sur la *plaza* et quelques parents ont été invités
pour te voir.

Il devinait, je pense, que l'idée de rencontrer
des inconnus si vite après notre arrivée ne m'enchantait pas, car il ajouta :

— J'aurais préféré un autre jour, mais...

Il haussa les épaules.

— Mon père a tout organisé.

« Mon père veut... » « Mon père a organisé... »
Ces mots-là, je devais les entendre constamment
au cours des mois qui suivirent, et toujours sur le
même ton respectueux et docile de subordonné, ces
mots qui devaient m'irriter, me devenir insupporta-
bles. Il me paraît étrange aujourd'hui qu'en les
entendant pendant le trajet jusqu'à San Matio, je
n'aie pas prévu leur véritable signification.

Ainsi, la famille assemblée allait m'accueillir.
Cette perspective aurait été impressionnante en tout
temps, mais après ce long trajet fatigant, énervant,
c'était une épreuve qui m'épouvantait. La famille de
Ramon, d'après ce qu'il m'avait dit, comportait des
branches nombreuses. Désespérément, j'essayais de
me rappeler les noms et les degrés de parenté. Il y
avait tant de cousins, tellement d'oncles et de tantes...

Machinalement, je jetai un regard sur Doña
Teresa. Jeune, elle avait dû être une vraie beauté car
maintenant, à plus de soixante ans, elle était encore
belle, avec un teint lisse, et ses yeux noirs largement
écartés. Mon beau-père, Don Felipe, n'avait pu
venir nous chercher à l'aéroport et avait envoyé à
sa place oncle Jorge, *tio* Jorge, comme ils disaient.

— Mon père te plaira beaucoup, m'avait répété
Ramon.

Je n'en étais pas aussi sûre. Peut-être parce que
j'avais de pénibles souvenirs de mon propre père,
qui avait quitté la maison alors que j'étais toute
enfant, je m'inquiétais de ma prochaine entrevue
avec le père de mon mari. Don Félipe, riche propriétaire terrier, possédait d'importants troupeaux
de moutons et de chèvres, louant aux gens du vil-

lage les parcelles de terre dont il n'avait pas besoin.
Venant en Espagne, j'étais préparée à des habitudes
de vie très différentes de celles que je connaissais et,
maintenant, parcourant ce pays presque dépourvu
d'habitations, je voyais le décor qui encadrait
l'homme auquel j'allais être présentée. Don Felipe
m'y paraissait adapté : je traversais des milles et
des milles de prairies, qui semblaient n'appartenir à
personne, coupées de minuscules champs cultivés.
De temps à autre, loin de tout bâtiment, se tenait
un berger dans la seule compagnie de ses moutons.
Ce vaste panorama de campagne ondulée était
borné au loin par une chaîne de montagnes. Tout
cela vide. Les villages, quand il y en avait, n'étaient
qu'un groupe de maisons de pierre affreusement
pauvres.

Peut-être était-ce la solitude du pays qui poussait les gens à se réunir en troupeaux dans des maisons ? Cette idée de « troupeaux » ne m'était pas
venue avant que je ne voie les moutons rassemblés
autour des bergers. La coutume, m'avait dit Ramon,
était de tout partager.

— Tu ne te sentiras jamais seule, m'avait-il dit
avant de quitter l'Angleterre, en essayant de me
décrire la maison de famille à San Matio.

Les parents, une vieille grand-mère, deux tantes,
l'oncle Jorge et Jaime, le frère de Ramon, y vivaient
ensemble, apparemment en bonne harmonie.

— On dirait que je vais échanger un hôtel contre
un autre, avais-je dit en riant.

— Non, m'affirma Ramon. C'est le foyer. Le
nôtre.

Le nôtre ?

En écoutant le flot incessant des paroles, — à
présent ils parlaient espagnol, — je me le demandais.

Est-il possible de considérer comme son foyer une maison où vivent tant de gens ? Verrais-je réellement ma famille en ceux-là ? J'arrivais en Espagne sans illusions : je savais que m'adapter à un pays étranger ne serait pas facile. Pourtant j'avais confiance : j'y parviendrais. Ramon était compréhensif. Mais en l'épousant, j'avais accepté sa famille, des gens qui parlaient une langue dont je n'avais que des notions, qui avaient des coutumes différentes, dont la vie était étrangère à la mienne. Et maintenant que je les avais vus...

J'étais inquiète.

⁂

Ramon me croyait endormie.

— Encore deux kilomètres et nous serons à San Matio, dit-il. Réveille-toi, Janet.

Je réveillai Tony. Il frotta ses yeux ensommeillés et Doña Teresa s'empressa auprès de lui. L'impression de vivre un rêve qui m'avait envahie dès le début du voyage s'accentua. Je ne pouvais croire que je fusse destinée à passer la fin de mes jours dans ce pays reculé. C'est cela qui me frappait le plus, l'isolement de la contrée. Pendant des milles, la route étroite et rugueuse grimpait en sinuant le long d'une côte. Nous nous dirigions vers de sombres et arides montagnes dont les sommets aigus se dessinaient sur le ciel bleu. Je ne voyais plus qu'une végétation rabougrie, des arbres chétifs ; un ruisseau limpide dévalait la pente en une succession de petites cascades.

Ainsi que Ramon me l'avait dit si souvent, c'était là un pays grandiose. Il semblait ne jamais passer de voiture sur cette route. Une fois, nous dépassâ-

mes une charrette remplie de fumier. Puis trois
femmes qui marchaient en file indienne, portant des
cruches sur leur tête. Sans doute allaient-elles chercher de l'eau, mais d'où venaient-elles, où allaient-
elles, je ne pouvais l'imaginer car il n'y avait aucune
maison en vue. Soudain, un âne portant des fagots
émergea des bois d'un côté de la route et la traversa juste devant la voiture. Oncle Jorge freina
brutalement. Un homme misérablement vêtu et coiffé
du béret, qui semblait obligatoire dans la région, se
mit à courir après l'âne. Oncle Jorge, penché à la
portière, montra le poing à l'homme et à l'animal.
Les deux hommes gesticulèrent beaucoup, échangèrent des paroles furieuses, puis d'un seul coup, le
ton changea, et stupéfaite, je les vis se serrer la
main. Ils se quittèrent, apparemment les meilleurs
amis du monde. Nous repartîmes.

San Matio était niché très haut au flanc de la
montagne. Comme des oiseaux perchés sur une
saillie rocheuse, les maisons dominaient de très
haut la vallée, à mi-chemin des crêtes dénudées qui
semblaient toutes proches, presque menaçantes. La
route tortueuse avait suivi un chemin dangereux à
travers une forêt de grands arbres, pour aboutir
enfin à un plateau où était construit le village. Une
rivière le précédait, enjambée par un pont très
arqué ; au-delà se pressaient les habitations.

Il m'est difficile maintenant de séparer ma première impression de ce que je connus plus tard.
San Matio était encore plus petit que je ne l'escomptais. Et beaucoup plus pauvre. Le village était
constitué de deux rues étroites, pavées de cailloux,
qui s'écartaient en une petite *plaza*. Les maisons
qui les bordaient comportaient un étage auquel on
accédait par un escalier extérieur et qu'habitait une

famille, tandis que le bas se composait principale-
ment d'une étable-remise où les villageois gardaient
leurs cochons, leurs poulets, et en hiver leurs bes-
tiaux. Une odeur de pourriture régnait sur l'ensemble et le fumet des bêtes envahissait la voiture,
mais nul ne paraissait le remarquer ou en être gêné.

Nous suivîmes une rue jusqu'à la *plaza,* le cœur
du village. Je me disais sans cesse : « Ce n'est pas
possible ! » Ce l'était, pourtant, et ils avaient tous
l'air enchantés de rentrer chez eux. Sur la *plaza,*
les maisons étaient un peu plus grandes et l'odeur
moins forte. D'un côté, les bâtiments s'ornaient
d'arcades : c'était, je l'appris plus tard, le lieu de
rassemblement où les villageois se retrouvaient pour
les plaisirs du marché hebdomadaire, ou pour
attendre le car qui traversait San Matio deux fois
par jour. Il y avait là deux boutiques et un café
assez misérables, avec ses quelques tables alignées
au bord d'un trottoir. L'église, singulièrement vaste
pour une aussi petite agglomération, se dressait dans
un angle de la place, devant un petit cimetière. En
face, il y avait la résidence des Mingote. Le *palacio*
ainsi qu'on le nommait orgueilleusement.

Je sentais des regards fixés sur moi. De tous les
côtés, des gens guettaient, observaient. Des groupes
de femmes se tenaient devant les portes. Sous les
arcades, les hommes étaient assis aux tables du
café. Deux enfants, puisant de l'eau à la fontaine,
au centre de la *plaza,* posèrent leurs cruches et
regardèrent, bouche bée. Une vieille femme qui
menait une chèvre au bout d'une corde se retourna
et nous fixa.

L'épouse anglaise était une curiosité.

— Viens ! dit Ramon en me tendant la main
après avoir ouvert la portière de la voiture.

— Nous sommes enfin arrivés. Entrons.

La maison Mingote était très ancienne. La famille vivait là depuis le seizième siècle. C'était une grande bâtisse irrégulière dont les pierres affectaient toutes les formes et toutes les tailles, comme si, au long des siècles, la demeure avait été constamment modifiée et agrandie. Ces pierres avaient pris une teinte d'or bruni avec le temps. La lourde porte d'entrée ressemblait plus à la porte d'une prison qu'à celle d'une résidence. Il n'y avait pas de jardin, pas trace de fleurs. Les fenêtres étaient disposées au petit bonheur et aussi diverses que les pierres de la maison ; certaines, petites et pesamment barrées, d'autres, vastes et cintrées. Celles du premier étage s'ouvraient sur d'étroits balcons. Les pièces, comme les fenêtres, étaient de dimensions différentes, souvent de formes bizarres, mais l'ensemble était parfaitement entretenu.

Oncle Jorge transporta les bagages à l'intérieur. De notre arrivée, je n'ai qu'un souvenir confus, car j'étais abasourdie et et effrayée. La maison, cependant, était bien différente des pauvres habitations qui formaient le reste du village : vieille et sombre, presque nue, elle respirait le confort. Ce n'était pas la maison d'une famille aux moyens modestes.

En en franchissant le seuil, j'eus l'impression de pénétrer dans un musée : les meubles, les coffres, les tentures semblaient dater de la fondation de la maison. Dans le vestibule était accrochée une tapisserie si vieille que le dessin en était presque effacé. Les plafonds étaient bas, les cheminées monumentales, les tables et les armoires immenses et brillantes après des années d'usage et de soins. Les sièges étaient joliment recouverts de damas ou de velours, et aux fenêtres pendaient des rideaux de soie.

Je compris que Don Felipe n'était pas encore rentré ; Jaime, le frère de Ramon, était absent. Ramon me présenta à d'autres membres de la famille, à la grand-mère, assise dans un coin du salon, une vieille dame édentée et tout enveloppée de noir dans des couches et des couches de châles. Elle ne savait pas l'anglais. En fait, elle parlait fort peu, mais tout le monde l'entourait de prévenances et d'embarras. Ensuite, je vis les deux sœurs non mariées de Don Felipe, *tia* Maria et *tia* Agustina. On aurait dit deux perruches jumelles, chacune imitant sa sœur et répétant ce qu'elle disait, sauf que tante Agustina étant sourde, n'entendait pas la plupart des paroles de sa sœur, et marmonnait une succession de phrases incomplètes. Ensuite, je fis la connaissance des serviteurs : Mathilde, boulotte et âgée, et Rosa, une enfant maigre et peu soignée, qui me parut être le seul élément jeune de la maisonnée.

— Où sont les oiseaux ? demanda Tony, tirant Ramon par la manche.

— C'est vrai, les oiseaux ! J'oubliais !

En Angleterre, Ramon avait parlé à l'enfant des canaris qu'élevait une des tantes.

— Je vais te les montrer. Viens !

Doña Teresa me demanda si je voulais voir ma chambre, de sorte que pendant que Ramon et Tony allaient regarder les oiseaux, suivis des tantes et de l'oncle Jorge, je montai dans la chambre qui serait la nôtre, à Ramon et à moi. Elle se trouvait au premier étage, à l'arrière du bâtiment. Je découvris que la maison était construite autour d'un petit jardin intérieur, une cour centrale, plutôt. Il y avait

là une minuscule pièce d'eau, beaucoup de plantes
vertes et quelques pots de fleurs. De l'autre côté de
la cour, des marches conduisaient à un long couloir.

Ouvrant une porte au bout d'un corridor, Doña
Teresa me fit signe d'entrer.

— Voilà votre chambre, dit-elle.

Ma chambre ! Pourrai-je jamais l'oublier ? Même
à présent, il me suffit de fermer les yeux pour la
revoir telle que je la vis en ce soir de printemps,
telle que je devais la voir pendant les mois qui suivirent. Je me souviens de chaque meuble, de chaque
ornement, de chaque tableau. Comme je devais
détester cette chambre ! La détester surtout pour ce
qu'elle représentait.

Elle était grande, basse de plafond, et meublée
dans un style qui était sans doute à la mode il y a
cent ans ou davantage. Chacun de ses meubles
était une antiquité, depuis le lit, le plus vaste que
j'aie jamais vu, jusqu'aux commodes, aux fauteuils,
aux massives armoires. Un crucifix pendait à la tête
du lit, en face d'un tableau représentant la Vierge :
je reconnus la célèbre « *Macarena* » de Séville. La
pièce était sans couleur : les rideaux, le dessus de
lit, les coussins, tout était de la même teinte bru-
nâtre. Et pourtant, je devinais, à la façon dont elle
caressait doucement le bois sculpté finement d'une
des colonnes du lit, que pour Doña Teresa, cette
chambre avait une qualité spéciale.

— Ainsi, dit-elle, mon Ramon est marié !

Elle prenait le ton indulgent des mères qui évo-
quent les frasques de leurs jeunes enfants.

— Nous espérions cela depuis si longtemps !
Nous lui disions que se marier était son devoir.
Mais non : sur ce point, il ne tenait pas compte
du désir de son père. Seule, sa médecine l'intéressait.

Et maintenant, le voilà avec une épouse anglaise !
Je ne puis y croire.

— J'y crois difficilement moi-même.

— Vous serez une bonne mère pour ses fils.

Elle m'adressa un sourire entendu, de femme à
femme.

— Cette chambre a été fermée trop longtemps.

— N'est-ce pas la chambre de Ramon ?

— Nul fils n'habite cette chambre avant d'être
marié.

La main qui caressait la colonne s'immobilisa
soudain, et son regard glissa de mon visage au grand
lit, avec sa courtepointe d'un brun fané. Elle sourit
de nouveau.

— On la garde vide jusqu'à ce que le fils aîné
amène sa femme à la maison. C'est la coutume.

J'avalai ma salive.

— Oh... ?

— Je suis arrivée ici comme jeune mariée. Ce
fut notre chambre, à Felipe et à moi, jusqu'à la mort
de son père : alors nous nous sommes installés dans
la chambre du maître. Avant cela, c'était la chambre de Grand-Maman, quand elle était la femme du
fils aîné.

J'eus la vision soudaine du paquet de châles
noirs que j'avais vu dans le salon, mais vêtue de
blanc. Son lit de jeune mariée ? Comment imaginer
qu'elle eût jamais été jeune et jolie ? Lui ressem-
blerais-je quand on me présenterait, dans soixante
ans ou plus, une jeune femme qui n'était pas née
aujourd'hui ?

— Mes trois fils sont nés dans ce lit, reprit Doña
Teresa. Felipe y est né aussi. Ainsi en est-il depuis
des générations.

Elle avait les joues roses d'excitation. Je restais

figée sur place. Je sentais les émotions, la joie, l'appréhension de toutes ces autres femmes qui, au cours des années, avaient épousé le fils aîné de la famille Mingote, et tout cela pesait si lourd que cette chambre, leur chambre, me semblait soudain pleine d'invisibles silhouettes, d'invisibles visages. Je respirais avec peine. Doña Teresa me prit les mains.

— Maintenant, vos fils naîtront ici, dit-elle en espagnol. Que Dieu vous en accorde beaucoup !

Elle m'embrassa chaleureusement sur les deux joues.

CHAPITRE V

J'étais contente de me trouver seule.

Quand la porte se referma, je frissonnai et je regardai autour de moi. Je n'ai jamais eu aussi froid que ce jour-là. Seule sans l'être. Partageant cette chambre, comme je partagerais ce lit avec toutes les épouses accueillies avant moi par la famille Mingote. La chambre du fils aîné. La signification de ces mots ne me laissait aucun doute quant à l'accueil chaleureux de ma belle-mère.

Moi-même, j'étais sans importance. Seuls importaient à Doña Teresa les enfants que je donnerais à son fils.

De nouveau, je frissonnai. J'allai à la fenêtre et je repoussai les volets à demi fermés. Il n'y avait pas de vue. Derrière la maison, la montagne s'élevait en une pente abrupte, herbeuse, semée de rochers saillants et de quelques arbres malingres. Je me sentis emmurée.

Comme je devais haïr cette chambre ! Une haine qui naquit à cet instant où je me retournai pour regarder la pièce. La seule, dans toute cette maison, où je serais chez moi. Ou plutôt chez Ramon et moi. La chambre... sans vue, sans dégagement, où tout était un héritage du passé, légué par les femmes des fils aînés qui avaient vécu, aimé, donné le jour entre ces quatre murs. Une chambre de plaisir et de souffrance. Au cours des ans, sans doute avait-elle peu changé ; la commode servant de coiffeuse, l'armoire, les fauteuils, le grand lit avec son dosseret et ses colonnes sculptées, tout était là depuis des générations.

Et maintenant, j'étais la femme du fils aîné.

Seigneur ! Qu'avais-je fait ? L'Angleterre et l'hôtel de tante May me devenaient des souvenirs précieux, tout à coup, et j'aurais donné n'importe quoi pour sortir d'ici et me retrouver là-bas.

Mais j'avais choisi ceci. Et Ramon.

On frappa à la porte. Matilde, la vieille servante à laquelle j'avais été présentée en arrivant, entra en traînant les pieds. Petite, épaisse, en robe noire et tablier blanc, elle tenait entre ses mains un vase contenant un bouquet de fleurs sauvages.

— Je les ai cueillies ce matin, dit-elle.

Elle s'exprimait en espagnol, mais elle parlait aussi lentement qu'elle marchait et je la comprenais facilement, ou tout au moins je saisissais le sens de ce qu'elle disait.

— Pour vous, señora.

— Merci.

Elle mit le vase sur la commode, redressa le miroir et la brosse à manches d'argent qui s'y trouvaient, puis au lieu de repartir comme je m'y attendais, elle alla à la table basse sur laquelle était posée ma valise. Elle l'ouvrit et commença à la défaire. Le geste me surprit.

— Non ! dis-je vivement. Je ferai cela moi-même.

— Je serai heureuse de vous servir, señora.

Il y avait dans le ton de la déférence, et aussi de l'autorité, et sans se soucier de ce que j'avais dit, elle poursuivit la tâche qu'elle s'était attribuée. Je fus donc obligée de rester là à la regarder faire. Elle avait de petites mains potelées. Soigneusement, elle prit les robes, les mit sur des cintres, tout aussi soigneusement furent rangés mon linge, mes lainages, mes quelques livres, mes bijoux de fantaisie qu'elle disposa dans les tiroirs. Jamais personne ne m'avait servie.

De la valise à l'armoire, de l'armoire à la valise, en avant, en arrière, elle allait péniblement. Je remarquai que ses cheveux étaient mêlés de mèches blanches. C'était une aimable petite femme, lente, mais souriante, avec un regard vif. En la voyant lisser et relisser les robes froissées, ranger ici et là, j'eus la bizarre impression qu'elle ne faisait pas ce travail pour la première fois, et qu'en l'accomplissant pour moi, elle se remémorait un ancien souvenir.

— Etes-vous dans la famille depuis longtemps ? demandai-je.

— Depuis ma jeunesse, señora, répondit-elle avec orgueil. Je suis venue à San Matio quand Doña Teresa s'est mariée, et quand ses fils sont nés, j'ai été...

Elle prononça un mot que je ne compris pas. Elle le remarqua, réfléchit, et arrondissant ses bras, fit le geste de bercer un enfant.

— Vous avez été leur nurse ? demandai-je en anglais.

C'est ainsi que nous parlâmes assez longtemps, Matilde et moi, remplaçant par des gestes les mots qui nous échappaient. En fait, je devinais plutôt ce qu'elle me disait que je ne le comprenais, mais nous nous en arrangions.

— Oui, señora, reprit-elle, parlant lentement et très fort, comme si cela devait m'aider à comprendre. Je me suis occupée de tous les petits. Le petit Carlos... Il est mort. J'ai été la nurse de Don Ramon, et puis de Don Jaime. Maintenant, ce sont des hommes, et depuis longtemps cette maison est triste parce qu'on n'y entend plus les rires des enfants.

— Tony va remédier à cela, déclarai-je. Avez-vous vu mon fils ?

— Le Séñorito ? Oui.

— Il fait autant de bruit qu'une douzaine !

— Plus tard, si le Bon Dieu veut bien...

Elle ravala ce qu'elle allait dire et sourit. D'un sourire entendu. Ses petites mains grassouillettes lissèrent la courtepointe du lit, et d'une voix très basse, elle murmura :

— C'est un bon lit. Dans ce lit ont été faits de beaux fils.

Je la regardai, muette de stupéfaction.

Le sourire entendu s'effaça. Matilde sentit que j'étais mécontente, mais elle ne comprit pas du tout pourquoi. Gênée, elle passa ses mains sur son tablier.

— Vous faut-il autre chose, señora ?

— Non.

La porte se referma. Un moment, je ne bougeai pas, j'étais trop en colère. Il n'y avait pas une heure que j'étais là, et d'abord la maîtresse, puis la servante parlaient sur le même ton. Leurs paroles se répétaient comme un refrain malpropre. Ces femmes n'avaient-elles qu'une pensée en tête ? Si elles parlaient ainsi après une nuit de mariage, j'imagi-

nais leur surveillance au bout d'un mois. Elles guet-
teraient, elles espéreraient. Un enfant. Des enfants.
Un fils. Rien d'autre n'avait-il d'importance pour
elles ?

Je me sentais diminuée. Je n'avais jamais
éprouvé cela avec Peter. Notre union n'avait peut-
être pas reçu la bénédiction du maire et du prêtre,
mais elle était pour nous précieuse et secrète, sans
personne pour la commenter ou en supputer les
effets. Tony était né de notre amour. Et maintenant,
dans cette chambre détestable, ces deux femmes
avaient exprimé leurs vœux, nous souhaitant non pas
l'amour mais les relations sexuelles, de sorte que
devant ce lit où étaient nés les héritiers des Mingote,
j'avais l'impression d'être une bête reproductrice.

Quand Ramon entra, je tremblais encore.

Il referma la porte, s'y adossa et me regarda.
Pour lui, c'était le foyer. A l'hôtel de Londres, il
avait dû penser à cette chambre et au moment où,
en tant que fils aîné, il allait en prendre possession
en me possédant moi-même. M'aimer et me garder
comme hier il l'avait promis. Je me détournai précipitamment pour qu'il ne vît pas mes joues empour-
prées. Je pris la brosse et la passai dans mes cheveux.

— Où est Tony ? demandai-je.

— Avec tante Maria. Elle aime beaucoup les
enfants et ils sont déjà grands amis. Elle lui ensei-
gne quelques mots espagnols. Et toi, Janet... ?

Il était derrière moi, sa main sur mon épaule.
Dans le miroir, son regard rencontra le mien et son
sourire s'effaça. Il leva les sourcils.

— Janet ?

— Tu trembles.

Je tentais l'évasion.

— J'ai froid.

Ses mains entourèrent mon visage, et me forçant à me retourner, il me considéra avec anxiété. Il était le médecin, à présent, non plus l'amant. Du dos de sa main, il tâta mon front. Je n'avais pas de fièvre. De nouveau, ses yeux plongèrent dans les miens et je sentis les larmes me brûler les yeux. Je réussis à les refouler, mais il avait vu.

Il demeura derrière moi, silencieux.

J'étais furieuse. Furieuse contre moi-même, furieuse contre ces femmes. Pourtant, Doña Teresa et Matilde étaient certainement pleines de bonnes intentions ; les vœux, les espoirs qu'elles exprimaient étaient sincères, mais le mécanisme de leur pensée était différent du mien. Il avait quelque chose de médiéval. Je savais qu'en Espagne, la vie des femmes est intimement liée à leur foyer, à leur famille. Alors des enfants, surtout des fils, sont d'une grande importance. Mais pour moi... il en allait différemment. Elles ignoraient que du fond de mon cœur je ne désirais pas d'enfant : Tony était tout pour moi. Je me sentais incapable d'éprouver pour les fils de Ramon, s'il y en avait, ce que j'éprouvais pour l'enfant de Peter.

Nous avions signé un pacte, Ramon et moi. Il remplissait ses engagements, je remplirais les miens. Volontiers. Sans regrets. Sans regarder en arrière. Sans me plaindre. Certainement sans me plaindre ! Pendant les quelques jours précédant notre mariage, nous avions été totalement francs l'un pour l'autre. Ramon venait chaque soir dans ce qui avait été le salon de tante May, et là, au-dessus des tasses de café, une étrange sorte d'intimité s'était établie entre nous. Il se conduisait avec une correction presque comique : pas trace de l'Espagnol fougueux ! Il était plus comme un grand frère, soucieux de moi, plein de considération, qui offrait tout, mais pour le moment n'attendait rien.

Ramon s'était montré sage : il me donnait le temps de m'adapter à un nouveau mode de vie, il me donnait le temps de le mieux connaître. Et c'était le trait le plus singulier de nos relations : promettre d'abord, ensuite le connaître. Et j'appréciais ce que je découvrais. En ces paisibles soirées passées côte à côte, je sentais ma sympathie se changer déjà en affection.

Et voilà que cette sympathie, cette affection grandissante, subissaient un choc brutal. A cause de ces femmes, et des espoirs qu'elles n'essayaient même pas de dissimuler.

Dans le miroir, nous nous regardions.

— Je sais ce que tu ressens. Janet... ma femme...

Il dit cela très doucement, ses doigts venant effleurer ma joue.

— Bien sûr, tout est étrange pour toi. Il fallait s'y attendre. Mais tu t'y feras. Et tu t'habitueras à nous.

Je pris sa main et l'appuyai contre mon visage.

— Avec ton aide..., murmurai-je.

Et tout à coup, toute idée de « grand frère » fut balayée. Ramon était mon mari, il était mon amant, et sous la caresse de ses mains, j'essayai de faire le vide dans ma tête.

J'essayai d'oublier Peter.

*
* *

D'en bas j'entendis monter des voix. Don Felipe, le père de Ramon, était rentré et il attendait de me voir. Je m'étais changée, mettant une robe d'été aux couleurs gaies tandis que Ramon allait chercher Tony. Ils revinrent ensemble. Tony paraissait ravi. Sa première timidité s'était envolée, et malgré les difficultés de langage, il était au mieux avec les tantes. Tante Maria lui avait montré les canaris en cage qu'elle gardait dans sa chambre, puis tante Agustina lui avait fait visiter la maison, en lui désignant les objets qu'elle appelait de leur nom espagnol. Il répondait par le mot anglais. Tous trois en avaient fait un jeu. De plus, les deux femmes, m'avoua Tony, l'avaient bourré de gâteaux parce qu'elles le trouvaient d'une maigreur consternante. Qu'on fît tant d'embarras pour lui l'enchantait.

Tout excité, il bondit dans ma chambre.

— C'est la seule maison du village où il y a de l'eau ! me dit-il. Tout le monde est obligé d'aller dans la rue, puiser à la fontaine. Sur la *plaza*.

Il sortit triomphalement le mot récemment appris.

— S'il fallait aller chercher de l'eau à la fontaine, peut-être que tu ne me ferais pas prendre tant de bains !

— Je t'en ferais prendre un à la minute si Don Felipe ne nous attendait pas ! répliquai-je.

Je me demandais si Tony remarquait mes joues roses.

— Viens, dis-je, nous allons te coiffer.

Nous descendîmes tous les trois ensemble. Don Felipe attendait dans la bibliothèque. Maintenant que venait le moment de l'affronter, je me sentais dans la peau d'une écolière allant voir le Proviseur du lycée. Ridicule ! Ramon, à son âge, était bien libre d'épouser qui il voulait et quand il voulait. Pourtant, je devinais que lui non plus n'était pas très

à l'aise. Il ne disait rien, mais je le voyais à son attitude. Une tension.

La bibliothèque se trouvait sur le devant de la
maison, au rez-de-chaussée. Elle était précédée
d'une petite pièce dans laquelle des chaises droites
entouraient une table recouverte d'un tapis rouge.
Derrière la table, une porte était fermée.

— Attends ! souffla Ramon.

Il frappa à la porte, l'ouvrit et entra. Je l'entendis prononcer un mot :

— Mon père...

Puis il se retourna et me fit signe d'avancer.

Nous entrâmes tous les deux : je dis à Tony
d'attendre à la porte. La bibliothèque était une
grande pièce entièrement tapissée de livres, les
nombreux volumes rangés derrière un fin grillage,
un plafond bas, des murs lambrissés. Une pièce très
sombre. La nuit tombait sur le village et le seul éclai-
rage de la bibliothèque était une lampe de bureau
placée sur une table à écrire, tout au fond. Don
Felipe était assis là.

A notre entrée, il se leva. Je vis son regard aigu
m'examiner rapidement. C'était un homme assez
âgé, grand et mince, un peu comme les personnages
d'El Greco. Un homme qui ne souriait pas. C'est ce
que je remarquai aussitôt en cette première entrevue, et par la suite, cette impression se confirma.
Don Felipe souriait rarement. Parfois, ses lèvres se
relevaient légèrement, mais de mauvaise grâce, et
presque jamais cette ombre de sourire n'atteignait
ses yeux.

Ramon me présenta et Don Felipe, contournant
la table, vint me saluer.

— Voici donc la femme de mon fils, dit-il. Si
vous permettez...

Se penchant, il était aussi grand que Ramon, il m'embrassa légèrement sur les deux joues. Puis, me tenant à bras tendus, il me dévisagea, toujours sans sourire.

— Je suis heureux de vous souhaiter la bienvenue à San Matio, dit-il, mais j'aurais aimé que mon fils nous avertisse de ses intentions. Je ne comprends pas, Ramon...

Il se tourna vers lui.

— Nous aurions pris part à ton bonheur, et tu ne nous as rien dit !

— Janet désirait un mariage très intime. J'ai accepté.

J'entendais une note de déférence que je ne connaissais pas dans la voix de Ramon. Puis il se mit à s'excuser. Cela me surprit.

— Si vous êtes mécontent, j'en suis désolé. Les circonstances étaient particulières. Vous comprendrez que je ne voulais pas revenir ici sans que Janet soit ma femme.

— Redoutais-tu qu'elle ne change d'idée ?

Cette fois, un semblant de sourire effleura le coin des lèvres pour disparaître aussitôt.

— Je te félicite, Ramon, et vous aussi, Janet.

Il avait buté sur mon nom, le prononçant de façon bizarre.

— J'aurais aimé faire votre connaissance avant le mariage, mais... il n'importe.

Sa main, posée sur mon épaule, retomba.

— Ramon a maintenant une épouse. C'est ce que je désire depuis longtemps. C'était une chose primordiale.

Primordiale ! Don Felipe était plus circonspect que les femmes de sa maison. Il ne parlait pas crûment du petit-fils qu'il souhaitait si ardemment, mais

je devinais sa pensée et, instinctivement, je me
raidis. Cet homme silencieux, solitaire tout en habi-
tant une maison pleine de monde, contemplait le
passé tout en projetant l'avenir. Maintenant, je faisais partie de cet avenir. Partie de ses projets. Car
Don Felipe, je le découvris bientôt, prenait très au
sérieux ses responsabilités de chef de famille. Et
sa famille, comme les villageois, le traitait avec une
sorte de respect féodal qui m'irrita tout de suite.
Et Ramon, même si son père lui parlait comme à
un adolescent et non comme à un homme fait,
acceptait cela. Une fois de plus j'affrontais une
manière de vivre différente, un point de vue différent. Ramon respectait son père ainsi que tout fils
doit le faire, pensait-il. Au cours des jours qui suivirent, je devais trouver ces relations de père à fils
exaspérantes.

Don Felipe revint à moi.

— Parlez-vous l'espagnol ?

— Un peu.

— Alors, en attendant que vous le parliez couramment, nous nous exprimerons dans votre langue.
Et cet enfant... ?

Il regarda Tony qui était entré subrepticement et
se cachait derrière moi.

— Est-ce là votre fils ?

— Oui, dis-je, c'est Tony.

Je joussai Tony en avant.

— Antonio.

Automatiquement, il changeait le nom anglais
en nom espagnol, avec l'autorité d'un professeur
corrigeant un élève étourdi.

— C'est un beau nom. Laisse-moi te regarder.

Il mit un doigt sous le menton de l'enfant et lui
releva le visage.

— Tu ressembles à ta mère. Que tu es blond !
Dans ce village, les enfants ont presque tous les
cheveux noirs.

Il tira une chaise à lui, s'assit, et dirigea la
lumière sur Tony.

— Eh bien, petit señorito, dit-il, vas-tu aimer
San Matio ?

— Beaucoup, monsieur.

Se souvenant de mes recommandations, Tony
s'adressait à Don Felipe avec respect.

— Je n'aime pas être malade, reprit-il, et mon
père m'a dit qu'à San Matio, je pourrais toujours
bien respirer.

Don Felipe jeta à son fils un regard interrogateur.

— Asthme, expliqua Ramon. Je lui ai dit que
l'air pur de la montagne lui ferait du bien.

— Il nous faut l'engraisser un peu. Il est si
maigre, si pâle ! Nous ne pouvons accepter cela.

Pour la première fois, le vague sourire qui errait
sur les lèvres de Don Felipe lui éclaira les yeux.

— J'en dirai un mot aux tantes, annonça-t-il.
Elles te prépareront un régime spécial, Antonio.

Il se tourna vers moi pour me demander :

— A-t-il toujours été débile ?

— Oui.

— J'espère que ce n'est pas... Oh ! Quel est
le mot ?

Ses doigts tambourinèrent impatiemment le bras
de son fauteuil, puis tout à coup il se rappela :

— Héréditaire ! Serait-ce héréditaire, Janet ?

Je sentais son regard m'évaluer, mesurant,
comparant, exactement comme il observait, sans nul
doute, les animaux qu'il achetait au marché. Mes
joues s'empourprèrent.

— Vous êtes jeune, dit-il. Vous semblez forte.

— Ma femme est en parfaite santé, dit Ramon.

Remarquant mon embarras, il m'entoura d'un bras protecteur.

— Pardonnez-moi. Je n'aurais pas dû poser cette question.

Don Felipe fit un geste de la main, puis de nouveau me parla.

— L'enfant sait-il l'espagnol ?

— Non.

— Je me chargerai moi-même de le lui enseigner. Antonio, tu vas être mon ombre. Comprends-tu ?

Affectueusement, il caressa les cheveux de Tony.

— Là où j'irai, tu viendras aussi. Je te donnerai de si bonnes leçons que dans quelques semaines, tu feras la conversation avec tout le monde.

Tony était radieux.

— Vrai ?

— Je te le promets.

Tony me prit la main.

— M'man, tu entends ? Ça va être amusant ! Je suis content d'être venu à San Matio.

— Nous sommes heureux de vous y accueillir l'un et l'autre, dit Don Felipe.

Il avait pris un ton tellement neutre qu'il était impossible de savoir si la phrase était une obligation de politesse ou si elle reflétait sa pensée sincère.

— Ce soir, il y aura fête au village. Vous l'a-t-on dit ?

L'impression de vivre un rêve qui m'avait envahie au moment de notre arrivée à l'aéroport me dominait à tel point maintenant que je remuais et agissais comme un automate. Je redevins moi-même un instant, cependant, quand Don Felipe déclara que Tony devait assister à la fête.

Il « devait » !

Ce fut cette prétention qui me réveilla. Les festivités ne devaient commencer qu'après neuf heures, car en Espagne, on dîne toujours tard. Tony était fatigué, je le voyais trop bien. Il avait passé une journée longue et énervante... Pourtant, quand je parlai de le mettre au lit, Don Felipe exprima son étonnement.

— C'est un enfant de l'Espagne à présent, me rappela-t-il. Ici, les enfants se couchent tard. Cela ne lui fera pas de mal.

— Il s'agit d'un événement spécial, ajouta Ramon, prenant le parti de son père.

Pendant sept ans, j'avais eu Tony, mon fils, sous mon entière responsabilité. Même tante May, bien qu'elle m'aidât financièrement à le soigner, ne s'était jamais mêlée de son éducation. Et voilà qu'après quelques heures, le père de Ramon entendait prendre l'autorité sur lui et décider de ce qu'il lui fallait ! Mais je n'avais aucune intention de m'incliner. Tony, à contrecœur, vint donc se coucher. Sa chambre était contiguë à la mienne, elle était petite, mais confortable, et l'enfant était si fatigué qu'il s'endormit avant même que je n'eusse refermé sa porte. J'attendis un instant, l'oreille aux aguets, puis n'entendant rien, j'allai rejoindre Ramon et la famille.

Maintenant, la maison semblait occupée par une foule. Je fus présentée à tous, mais je fus ensuite incapable de mettre un nom sur tous les visages qui incapable de mettre un nom sur tous les visages qui activement la fête qui devait durer des heures.

Nous y assistâmes du balcon du salon. C'était la pièce où, les mois suivants, je devais passer mes

soirées en compagnie des femmes de la maison Mingote. Comme les autres pièces, celle-là était démo-
dée. Aux murs, pendaient des portraits encadrés de
la famille, Felipe et Teresa le jour de leur mariage,
Ramon et Jaime en costumes marin blanc et en
bérets plats, un autre enfant, Carlos, qui était mort,
encore tout bébé. Mais en ce premier soir, ce fut
le spectacle extérieur qui attira mon attention plutôt que l'intérieur du salon.

Il faisait tout à fait nuit. En face de nous, près
de l'église, des tables à tréteaux étaient dressées,
éclairées par des lanternes accrochées aux arbres. A
leurs lueurs dansantes, je vis que des nappes recou-
vraient les tables et que des places étaient mar-
quées. Sur un feu, des femmes faisaient rôtir un porc
à la broche. Il y avait beaucoup de gens sur la *plaza*,
beaucoup de bruit et de rires.

— Mon père offre la fête, m'expliqua Ramon.
C'est une coutume de famille quand le fils aîné se
marie.

Plus tard, quand l'animal fut cuit et qu'on eût
chargé les tables de vin et de victuailles, nous descendîmes parler aux villageois. Si la journée m'avait
paru irréelle, maintenant je tombais dans une vraie
fantasmagorie. Tout cela en mon honneur ? C'est ce
que me disait Doña Teresa comme je la suivais pour
sortir.

Ramon me prit le bras et nous nous mêlâmes
au peuple de San Matio. Un peuple amical. Ce
n'étaient que visages souriants et paroles cour-
toises. On saluait Ramon, on me saluait. Le Señor
Doctor, comme ils l'appelaient, leur avait manqué
visiblement. Une femme lui montra un enfant né
en son absence. Il exprima sa compassion à un
vieux qui avait perdu son fils.

Je ne comprenais guère ce qui se disait, mais Ramon traduisait et les sourires disaient le reste. Nous nous plaçâmes au haut d'une longue table : mon mari me prit la main. Don Felipe était à côté de moi, Doña Teresa à côté de son fils. Le silence régna aussitôt : tout le monde attendit.

Don Felipe prit son verre et quelqu'un le remplit de vin, puis, le tenant haut, il regarda silencieusement les visages qui l'entouraient. Enfin, il se tourna vers Ramon et moi.

— A la santé de mon fils et de son épouse ! dit-il en espagnol.

Les verres se levèrent, tous burent à notre santé. Quelqu'un cria :

— A la santé de leurs fils !

Don Felipe sourit vraiment cette fois.

— A la santé de leurs fils ! répéta-t-il.

Et il vida son verre.

Nous rentrâmes dans la maison qui s'était remplie d'amis et de parents. L'oncle Jorge était là, les cousins qui étaient venus à notre rencontre à Barcelone aussi, et une foule de gens que je ne connaissais pas.

Le repas se déroula dans la longue salle à manger qui donnait sur la cour intérieure. Les boiseries des murs sous un plafond bas, à sombres poutrelles, les lumières mal disposées bien que nombreuses, rendaient la pièce lugubre. La longue table recouverte d'une nappe blanche était chargée d'étincelante argenterie et de merveilleux cristaux : il y avait une branche fleurie à côté de chaque assiette. Rosa servait, aidée par deux femmes du village. Je ne me souviens pas du menu, sauf qu'il y eut de très nombreux plats et que le vin coulait à flot.

— Ce soir, en l'honneur de la femme de mon

fils, nous parlerons anglais, commanda Don Felipe.

La famille proche parlait anglais couramment, mais une bonne part des invités ne le savaient pas de sorte que, très vite, la conversation revint à l'espagnol. Je ne blâmais personne, mais je me sentais soudain dépendante de Ramon à un point que je n'aurais pu prévoir. Son visage était seul à m'être familier, et me sentant si vulnérable, il s'occupa spécialement de moi. Nous venions d'achever le premier plat quand on apporta un mot à mon mari ; il le lut, se leva, dit quelque chose à son père et se tourna vers moi.

— On a besoin de moi, dit-il. Une femme a glissé et est tombée chez elle : on croit qu'elle a la jambe cassée. Je suis désolé... mais tu comprends ? Il faut que j'y aille.

— Alors, je viens aussi.

Il secoua la tête : sa main sur mon épaule me retint sur ma chaise.

— Non

— Mais... si tu me quittes...

— Ce ne sera pas long, promit-il.

Il partit. Je savais bien que ma requête était absurde : je savais d'avance que Ramon étant médecin, il serait souvent appelé au dehors à des moments incommodes. Pourtant, quand la porte se referma derrière lui, je fus prise de panique : au milieu de tous ces étrangers, je me sentais perdue, terriblement seule. Un plat suivait l'autre, on remplissait les verres encore et encore. Et tout le monde restait là. Il y avait d'autres plats à venir. Je regardai ma montre.

Presque minuit. Depuis le départ de Ramon, on semblait m'avoir oubliée, et Don Felipe négligeant son ordre, causait avec son voisin. En espagnol.

Parfois je saisissais un mot, un lambeau de phrase. Quelqu'un commentait l'absence de Jaime. Quelqu'un d'autre regretta que Don Ignacio ne fût pas là. Je compris que Don Ignacio était le prêtre.

Je n'étais pas habituée à boire tant de vin. Je commençais à avoir la tête lourde : autour de moi, je distinguais mal les visages. Presque minuit... Là-bas, à l'hôtel, nous fermions toujours à minuit. C'était l'un des inconvénients d'être hôtelier, disait tante May : se coucher tard. En pensée, je suivis la routine familière : fermer la porte d'entrée, éteindre les lumières, passer le téléphone sur le numéro de nuit. C'est ce que Max devait faire en ce moment-même. Ou Joyce, peut-être.

Je ne le ferais plus jamais.

— Vous êtes bien sûre, madame ? m'avait demandé Annie que je mettais dans la confidence de mon prochain mariage. Monsieur Mingote est un vrai monsieur, vous ne trouverez aucun homme meilleur que lui... mais, madame... vivre là-bas... aimerez-vous cela ?

Que je l'aime ou ne l'aime pas, j'y étais. Cette maison était la mienne, ces gens, ma famille. Je regardai, tout au long de la table, tous ces visages indubitablement espagnols, teints basanés, cheveux noirs, yeux sombres. Je les écoutai : un flot de paroles. Quand ils parlaient tous à la fois, je ne comprenais rien. De nouveau, l'affolement que je dominais mais qui n'en existait pas moins en moi me submergea.

« Je ne suis pas chez moi ici, murmurai-je pour moi seule. Je n'y serai jamais chez moi. Jamais ! »

CHAPITRE VI

Un léger bruit me réveilla. Immobile, je tendis l'oreille. Le bruit se renouvela : le bêlement des moutons. Depuis des années, je m'éveillais pour entendre la mer. A présent, des herbages qui montaient, derrière la maison, à l'assaut de la montagne, me parvenaient des sons bien différents : les bêlements, le tintement des clochettes des moutons. Ce bruit, aussi peu familier que tout ce qui m'entourait, annonçait le début d'une nouvelle journée.

Une nouvelle journée. Le commencement d'une nouvelle vie. Je me tournai pour regarder Ramon. L'oreiller blanc faisait ressortir son teint foncé. Le voir là, près de moi, écouter le murmure de sa respiration, c'était étrange et incroyable. Il y avait si peu de temps que je l'avais vu arriver comme client à l'hôtel !

Maintenant, je partageais le lit du « fils aîné », et pour lui, j'avais le devoir de m'adapter à ce nouveau décor. Je m'attendais à beaucoup de surprises, mais rien de ce que Ramon m'annonçait là-bas en Angleterre, ne m'avait préparée à la réalité. Je savais que son cher San Matio était un village très petit et très pauvre. Certes, je prévoyais que, dans la montagne, les gens ne seraient pas très évolués, mais je ne m'attendais pas à un tel recul dans le temps. Je ne m'attendais pas à me retrouver dans un autre siècle.

Pourtant, c'est ce que j'avais fait, semblait-il. En dépit de la voiture et de la télévision, cette petite communauté blottie dans la montagne s'accrochait jalousement aux vieilles coutumes, aux anciennes façons de vivre.

Maintenant, j'en faisais partie. Maintenant, je partagerais leurs habitudes comme je devais partager le lit du « fils aîné ». Je regardai la chambre : dans la froide lumière du matin, elle était encore moins attrayante qu'hier à mon arrivée. On n'aimait pas les couleurs vives dans cette maison. J'y voyais trop de brun terne et de vert foncé pour mon goût. Mais, bien sûr, ce n'était pas ma maison, c'était la résidence de la famille Mingote. M'accoutumer à vivre dans la foule ne serait pas facile. A l'hôtel, j'étais entourée de gens, mais au moins avions-nous notre appartement privé. Cette manière de vivre ensemble, une famille entière, parents, frère, tantes, oncle, grand-mère... Ce n'était pas la même chose.

— Bien sûr, ce sera notre « chez nous », avait dit Ramon. Le tien, le mien, celui de la famille.

Il trouvait cela tout naturel.

Hier soir, je m'étais lâchement dérobée. Une fête était organisée en mon honneur, et qu'avais-je fait après que Ramon eût été appelé au dehors ? Je m'étais enfuis ! Après l'interminable dîner, je m'étais assise au salon, dans un coin, totalement isolée. Je réussissais à comprendre ce qu'on me disait à moi, mais dans une conversation générale, j'étais perdue. Cette impression de n'être pas à ma place en ce lieu s'en intensifiait. Il me fallait partir. J'allai trouver Doña Teresa et je la priai de m'excuser : une terrible migraine, expliquai-je. Elle jeta un coup d'œil anxieux sur Don Felipe qui bavardait avec un vieil ami, puis me caressa la main.

— La journée a été fatigante pour vous, dit-elle. J'espère que vous irez mieux demain.

Elle avait dû deviner que la migraine était un prétexte.

Tous avaient dû le deviner.

Le sommeil m'avait fuie dans le lit du « fils aîné » La chambre, donnant sur la montagne, était silencieuse, mais par la fenêtre entrouverte me parvenait, faiblement, le son lointain des rires. La fête, sur la *plaza*, continuait pour ne s'interrompre qu'au jour. Et il faisait jour quand les invités de Don Felipe prirent congé de lui. J'entendis claquer les portières des autos.

Puis ce fut le silence.

Ramon ne rentra que beaucoup plus tard. Je fis semblant de dormir. Il se déshabilla dans l'obscurité et j'écoutai le bruit léger, peu familier, que faisait mon mari en se préparant pour la nuit : les vêtements posés sur le dossier d'une chaise, le tintement de la monnaie qu'il retirait de ses poches... Tout doucement, pour ne pas me déranger, il se glissa entre les draps.

La chaleur de son corps près du mien me réconforta. Il était pour moi le seul être familier dans un univers étranger. J'avais besoin de lui, j'avais besoin de la sécurité qu'il me donnait. Tout faux-semblant oublié, je cachai mon visage contre sa poitrine et je pleurai. Des larmes silencieuses. Des larmes de détresse. Des larmes de solitude.

Son bras m'entoura, me serra contre lui.

— Ma toute petite..., Janet ! murmura-t-il.

Cela s'était passé la nuit dernière. Ou plutôt aux premières heures de ce jour. Et maintenant, à l'aube de cette nouvelle journée, je décidai que je ne me laisserais plus jamais aller à me plaindre. Que je l'aime ou que je ne l'aime pas, cette maison était mon foyer, je m'y adapterais. Je verrais avec Doña Teresa quels devoirs m'incombaient dans la maison, puis je m'appliquerais à apprendre l'espagnol pour me mêler aux conversations.

Un bruit soudain...

La porte s'entrouvrait. Je vis un jeune visage.

— Chut... ! murmurai-je, un doigt sur mes lèvres.

Tony se faufila dans la pièce, la tête ébouriffée par le sommeil, retenant d'une main le pantalon de son pyjama qui tombait. D'un air inquiet, il regarda la forme allongée de Ramon. Je lui tendis la main et je l'aidai à grimper dans le lit, à se glisser sous la couverture.

Le fils de Peter.

A tort ou à raison, je m'étais lancée dans ce mariage pour lui. Dans mes bras, j'avais l'impression de tenir un petit elfe, si petit, si fragile. Ses yeux brillants de plaisir paraissaient trop grands pour son visage maigre.

— Les moutons m'ont réveillé, me dit-il à l'oreille. Tu ne sais pas ? Il y en a un juste devant ma fenêtre !

— Et aussi devant la mienne. Ecoute.

Plus faible, le bêlement nous parvint. Tony pouffa.

— C'est drôle d'habiter en haut d'une montagne ! dit-il, oubliant de chuchoter dans son excitation. J'aime beaucoup être ici. Et toi ?

Ramon remua. Je le savais réveillé. Je savais qu'il nous écoutait et qu'il attendait ma réponse. Je serrai Tony tout contre moi.

— J'aimerai beaucoup ça, dis-je faussement.

⁂

Ce jour-là, Ramon reprit officiellement sa place au médecin venu de Madrid pour le remplacer pendant son absence. Et ce jour-là, j'appris ce qu'être médecin dans une région montagneuse isolée implique. La région dont s'occupait Ramon était très étendue ; ses malades, à quelques exceptions près, étaient de simples paysans, des villageois, des bergers dans des fermes écartées, des familles vivant dans un incroyable isolement.

Une pièce, au bout de la maison, avait été transformée en infirmerie. Elle avait une sortie indépendante, et chaque matin des gens venaient consulter, certains venant à pied, quelques-uns dans des carrioles grinçantes, d'autres dans de vieilles voitures. Après avoir soigné leurs maux divers, Ramon partait faire sa tournée. Pour mon premier jour à San Matio, je l'accompagnai. Tony devait venir avec nous, mais Don Felipe, fidèle à sa promesse, l'avait pris sous son aile. Tony devait être son ombre, avait-il dit : le vieillard et l'ombre étaient partis sans m'avertir. Je devinai que Ramon était content de notre tête à tête.

Il faisait chaud : le soleil brillait dans un ciel où se poursuivaient de petits nuages, le genre de temps où la marche est un plaisir. Mes exclamations émerveillées enchantèrent mon mari : il m'avait tant parlé de son beau pays sauvage, luxuriant par endroits, arides à d'autres, toujours superbe. Les forêts de grands arbres étaient coupées de prairies où paissaient les moutons, le seul être humain en vue étant le berger solitaire. Parfois, la pente formait terrasse, des bandes de terre, soigneusement cultivée. Et toujours les sommets se dressaient en toile de fond. Très loin, la crête blanche des Pyrénées barrait l'horizon, coiffée de neige éternelle. Plus proches, les montagnes qui avoisinaient San Matio dressaient leurs cîmes escarpées, leurs aiguilles inaccessibles, séparées par des vallées vertigineuses.

Sur certaines pentes où, à première vue, ne pouvaient circuler que les chèvres, des gens vivaient cependant. De petites maisons s'accrochaient au bord des précipices, ou des cabanes pour abriter les animaux qui les partageaient souvent avec les bergers. Ramon se rendait à ces endroits-là. Les malades et les convalescents l'accueillaient chaleureusement. Ils avaient une grande affection pour le señor Doctor. Les vieux boitillaient jusqu'à la porte pour le saluer, les enfants couraient à lui et se pendaient à ses bras.

— Maintenant, j'ai un fils, dit-il à un petit garçon juché sur son épaule. Un fils que j'ai adopté en me mariant. Je l'amènerai un jour pour que tu le connaisses.

J'appris beaucoup de choses, ce jour-là, non seulement sur le pays que j'habiterais désormais, mais sur l'homme que j'avais épousé. La petite voiture grise qu'il conduisait avec tant d'aisance sur les routes étroites et sinueuses de la montagne restait sous un arbre quand le sentier lui devenait impraticable, et nous faisions à pied le reste du trajet. Ramon m'aidait quand le chemin rocailleux devenait trop difficile. Ensuite, dans un chalet isolé où ne venaient jamais, sans doute, que le prêtre ou le médecin, nous recevions un accueil cordial. Parfois, Ramon venait voir un malade, mais il lui arrivait de faire un grand détour pour échanger quelques mots avec un vieux qui avait davantage besoin de réconfort moral que de remèdes. Tous étaient ravis de le voir.

J'étais fière d'être la femme de Ramon.

Pour rentrer, il prit un chemin différent. A un endroit distant de cinq cents mètres seulement de San Matio, la route tournait brusquement et le village apparut. Ramon rangea la voiture sur un tertre herbu et coupa le contact. J'attendis...

— Je m'arrête toujours ici, me dit-il. Regarde : as-tu jamais vu panorama aussi magnifique ?

Non... C'était l'inmmensité qui impressionnait, l'impression d'espace infini. Montagnes et vallées se déroulaient jusqu'à l'horizon comme un tapis aux maintes couleurs. Certes, nous n'étions pas au sommet du monde, mais là, au bord de la route, nous étions comme suspendus au-dessus du réel. Devant nous, dominait la montagne, avec le groupe de maisons qui formait San Matio blotti sur un plateau au bord d'un ravin. Un peu plus loin, à l'ouest, se dressait un autre village, plus grand et plus dispersé. En dessous, il y avait cette vue que fixait Ramon, une large et fertile vallée. Encadrée d'arbres verts, elle coupait la montagne et s'en allait à perte de vue.

— Nous l'appelons la vallée de Santa Ana, dit mon mari. Et ce village, là-bas, est San Martin. Il est semblable à San Matio, mais comme tu vois, il est plus important. Je t'y emmènerai un de ces jours : tu verras Don Rafael et... Isabel.

Etait-ce de l'imagination ou avait-il hésité un peu avant de prononcer le nom ?

— Don Rafael est un bon ami de mon père.

— Et Isabel ?

— C'est sa fille.

Il parlait sans quitter des yeux le paysage. Oui, il appartenait à ces montagnes, ces solitudes. Je ne le connaissais que depuis peu de temps, mais depuis le début j'avais compris que c'était un solitaire. Solitaire bien que vivant dans une maison pleine. Là était son univers. Comme il semblait étrange que nos deux vies, suivant des sentiers aussi différents, se fussent jamais rencontrées ! La destinée, disait-il. La conférence médicale qui l'avait amené à Londres était un hasard : il y avait pris la place, d'après ce que j'en savais, d'un médecin ami empêché de s'y rendre. Mais après cet interlude, rien qu'à sa manière de boire des yeux le paysage qui s'étendait à ses pieds, je sentais sa joie d'être de retour.

Sa grande main douce prit la mienne.

— N'ai-je pas dit vrai ? Janet, regarde ! Ceci, au moins, devrait t'apporter un plaisir.

Ainsi, il m'avait sentie déçue.

— Je sais que tout te paraît étrange, reprit-il, mais dans un tel cadre, tu ne pourrais pas être malheureuse !

— C'est splendide..., mais pour l'amour de ton métier, Ramon, n'as-tu jamais souhaité travailler dans une ville ?

Je ne le disais pas, mais je pensais qu'il serait délicieux d'échapper à sa famille, d'avoir notre appartement à nous, notre vie à nous.

— Ne m'as-tu pas dit que tu aurais aimé te spécialiser ?

— Oui, dans les affections cardiaques. J'ai songé à cela quand je travaillais dans un hôpital de Barcelone. Puis Carlos est mort, et... je suis revenu.

— Pourquoi ?

— Parce que sa mort faisait de moi le fils aîné, et que mon père désirait mon retour.

Ah ! si je pouvais le décider à retourner à Barcelone !

— De spécialiste, tu es devenu médecin de campagne ? dis-je. N'est-ce pas un désolant gâchis ?

Il me regarda avec étonnement.

— Les paysans tombent aussi souvent malades que les gens des villes, dit-il. De plus, j'aime la campagne.

— Pourquoi as-tu choisi ta profession ? demandai-je.

— On l'a choisie pour moi, répondit-il en riant.

— Comment cela ?

— Par mon père. Il espérait avoir de nombreux enfants, mais comme tu le sais, nous n'étions que trois. Carlos, l'aîné, devait administrer le domaine, j'étais destiné à la médecine, et Jaime, le plus jeune, était promis à la prêtrise. Pauvre père...

Ramon secoua la tête.

— Carlos est mort. Et Jaime... Il n'a rien d'un saint, comme tu le verras toi-même quand il reviendra à San Matio. Il est ce qu'en Angleterre vous appelleriez, je crois, un fantaisiste. Oui... Il est charmant, mais il n'a pas de goût pour le travail. Heureusement, l'idée d'être médecin m'a plu.

— Ainsi, Don Felipe a fait ce qu'il voulait.

Malgré moi, une note sarcastique perçait dans ma voix.

— Te conformes-tu toujours à ses désirs ?

Ramon réfléchit à la question.

— Pas toujours, dit-il enfin. Il a beaucoup regretté que sur un point, un point important, je n'aie pas pu me résoudre à...

Ses doigts serrèrent le volant plus fort et je vis son regard passer sur le village de San Martin.

— Mais il a compris, acheva-t-il.

Isabel ! pensai-je.

Une intuition, peut-être. Brusquement, Ramon remit le moteur en marche et regagna la route. Nous rentrions à San Matio.

Nous retournions à la vie réelle. Là-haut, dans la montagne, avec Ramon pour seule compagnie, j'avais pris plaisir à me sentir libre, libérée de cette maison où je ne me sentirais jamais chez moi. Et maintenant, suivant la rue du village, dans l'odeur animale qui venait des étables, au rez-de-chaussée des maisons, mon impression de liberté s'effaçait. Subitement, je me retrouvais enfermée. L'impression d'être en dehors de la communauté familiale revenait, plus intense. Chez moi ici ? Jamais ! Deux femmes qui allaient chercher de l'eau à la fontaine saluèrent Ramon de la main sur notre passage. Sous les arbres d'où pendaient, cette nuit, les lanternes, les tables étaient encore dressées, mais vides.

Matilde nous attendait à la porte.

— Don Ignacio est là, dit-elle.

— Notre prêtre, dit Ramon, se tournant vers moi. Il est certainement venu pour toi.

Don Ignacio était petit et ridé. C'était un homme âgé dont les quelques mèches grises parsemaient un crâne presque chauve. Il avait des sourcils épais et broussailleux qui se tenaient tout droit comme de petites ailes. Nous le trouvâmes dans le salon avec la famille : tout le monde s'agitait autour de lui. Il y avait là un plateau avec du vin et des petits gâteaux... Doña Teresa et les deux tantes servaient. Tony, me dirent-elles, était avec l'oncle Jorge.

Je fus présentée au prêtre qui m'exprima ses

regrets de n'avoir pu être là pour m'accueillir, mais il avait deux paroisses, m'expliqua-t-il, San Matio et San Martin. Hier, il avait été retenu à San Martin.

Il accepta des tantes un autre verre de vin et de nouveau me parla.

— J'ai appris que vous avez un fils.

— Un beau garçon, déclara Don Felipe avant que j'aie eu le temps de dire un mot. Si blond ! Il fera un bon enfant de chœur.

— Il n'est pas catholique ! dis-je vivement.

Leurs visages proclamèrent leur surprise. J'ajoutai :

— Et moi non plus.

Silence.

Ils avaient l'air pétrifié. Notre différence de religion était un sujet que nous avions soigneusement discuté, Ramon et moi. Sa famille ne serait pas contente, m'avait-il dit, mais il estimait, à bon droit, que la chose nous regardait et ne regardait pas les autres. J'avais même dit qu'avec le temps, j'adopterais peut-être la foi de mon mari puisque j'adoptais sa nationalité. Cela me semblait minime auprès de tout ce qu'il me donnait. Mais ce n'était pas pour tout de suite. Il me fallait le temps de m'adapter.

Don Felipe regarda son fils.

— Janet n'appartient pas à la foi catholique ? demanda-t-il comme s'il ne pouvait le croire. Tu ne me l'as pas dit.

— Je voulais d'abord que vous la connaissiez.

Ramon répondait à son père en anglais.

— Autrement, vous auriez pu avoir des idées préconçues.

— Ta femme a droit à la religion qui lui convient.

Don Felipe parlait de moi comme si je n'étais

pas là et cela me déplut, tout comme me déplaisait
le ton sur lequel il s'adressait à Ramon. Un ton
péremptoire.

— Mais pour l'avenir... Qu'en sera-t-il de tes
fils ? As-tu pensé à eux ?

— Oui, dit Ramon avec calme. Si nous avons
des fils, ils seront baptisés dans la foi catholique.
Janet en est d'accord.

Le prêtre leva son verre.

— Alors, que Dieu vous en accorde beaucoup,
dans sa bonté ! dit-il.

Don Felipe ne répondit rien. Il se leva de son
fauteuil et alla regarder par la fenêtre. La conversation devint générale, mais il n'y prit aucune part.
Le prêtre parlait d'une chapelle de la montagne,
située à un endroit appelé Alvez, puis d'un rocher,
« le Roc du Diable », le nomma-t-il, qui semblait
avoir glissé après la neige de l'hiver. Doña Teresa
me traduisait des bribes de phrases. Tous répondaient poliment à Don Ignacio, mais je voyais bien
qu'on ne s'intéressait guère à ses bavardages sur de
vieilles pierres. Des regards anxieux se posaient
constamment sur la haute silhouette près de la
fenêtre. Don Felipe ne bougeait pas, ne parlait pas.
Il était visible, même pour moi, qu'il était troublé.

Je savais bien pourquoi. Tout comme moi,
comprenant tout de suite que je n'étais pas ici à
ma place, Don Felipe à présent, se disait la même
chose.

Peut-être avait-il raison.

Enfin le prêtre s'en alla et tandis que Ramon le
reconduisait à la porte, je sortis de la pièce. Ce fut
un soulagement d'échapper à ces yeux accusateurs.
Et où pouvais-je aller ? Dans la chambre du « fils
aîné ». Et je ne m'y sentirais pas mieux.

J'en refermai la porte, et seule enfin, je demeurai debout au pied du lit, ma main serrant l'une des colonnes sculptées. Mon horreur de cette chambre me roula dans une vague de claustrophobie, écrasante, suffocante. Pendant quelques instants, il me fut difficile de respirer. Certaines de ces autres épouses avaient-elles détesté cette chambre comme je la détestais ? Doña Teresa, sa dernière occupante, visiblement l'appréciait.

Ramon entra sans bruit.

— Janet ?

Je me tournai vers lui. Ma colère déborda en paroles acerbes.

— N'ont-ils aucune autre idée dans la tête ? demandai-je. Nos enfants ! Nos fils ! Nous ne sommes mariés que depuis trois jours et ils ne parlent de rien d'autre !

Ramon se figea.

— Cela te surprend-il ? N'est-il pas normal qu'une mère, quand son fils est devenu un homme, ait hâte de serrer dans ses bras les fils de ce fils ? Ou serait-ce...

Il prit son élan.

— Serait-ce que tu ne veux pas d'enfant ? De notre enfant ?

Je n'osais pas répondre. Sur le visage de mon mari, je voyais se refléter le doute qui passait tout à l'heure dans les yeux de son père. Son enfant ? Si c'était là ce qu'il désirait, oui. Mais il faudrait que ce soit notre enfant, pas celui de la famille. Je me souvins du soir où, en Angleterre, il m'avait demandé d'être sa femme. Quand il parla d'amour, je répondis franchement. « Peut-être, avec le temps... »

Oui, avec le temps, je pourrais l'aimer. Peut-être l'aimais-je déjà ? Le respect que je lui portais se teintait de quelque chose de plus profond que la simple affection. Je voulais le bonheur de Ramon.

Il attendait ma réponse.

— Aimerais-tu que Tony et moi venions à la messe avec toi le dimanche ? demandai-je.

— J'aimerais beaucoup cela, dit-il.

Mais bien qu'il sourît, son regard demeurait inquiet.

CHAPITRE VII

Dimanche... Ce premier dimanche fixa le dessin de tous les dimanches qui allaient suivre. Ainsi mai s'achemina-t-il vers juin, et en regardant en arrière, il m'est difficile aujourd'hui de voir une différence d'une semaine à l'autre.

Elles se succédèrent en une routine tellement régulière. Monotone. Insipide. Et j'en vins à accepter cette routine au point qu'il me devint difficile de penser que j'avais vécu une autre existence. San Matio était devenu mon univers. Parfois, le soir, assise avec Doña Teresa, les tantes et la grand-mère sur le balcon qui donnait sur la *plaza*, j'essayais de me remémorer le passé, je tentais de revoir les jours qui avaient précédé mon départ pour l'Espagne, l'hôtel, tante May, Peter... N'importe quoi !

Et je ne pouvais pas. Les jours d'autrefois prenaient pour moi une couleur d'irréalité. Encore quelques semaines, et je commencerais à croire qu'au-delà des montagnes, le monde n'existait pas...

Parfois, regardant en l'air, j'apercevais un trait d'argent qui brillait dans le ciel : un avion filait vers le nord, peut-être volait-il vers l'Angleterre ?

Cela me faisait mal. Je mourais d'envie de me retrouver là-bas, de retrouver les sons, les spectacles
de la ville, de retrouver tout ce qui m'était familier.
Puis l'avion disparaissait au loin et je retombais
dans le présent : l'univers étroit et contraignant de
San Matio.

Doña Teresa avait l'air de comprendre .

— Ce n'est pas facile pour vous, me disait-elle
quand par inadvertance je transgressais les traditions
du pays. Dans les villes, je sais bien, on agit autrement, mais ici, à San Matio...

Il y avait tant de choses qui ne se faisaient pas
ici ! Tant de choses, plutôt, qu'on désapprouvait.
Don Felipe disait ouvertement qu'il n'aimait pas
voir fumer les femmes. Et les femmes de la maison
Mingote n'étaient censées faire aucun travail. Quand
Doña Teresa se rendait au marché, jamais elle ne
portait ses emplettes elle-même : Matilde la suivait
et se chargeait du tout. Les tantes soignaient les
canaris, vérifiaient le couvert pour les repas, et entre
temps cousaient d'innombrables petits vêtements
qu'elles envoyaient à des missions, quelque part en
Amérique du sud. Et elles jacassaient ! Je ne
comprenais pas le quart de ce qui se disait, mais
leur incessant bavardage était le bruit de fond qui
accompagnait ma nouvelle existence.

Plus que tout, je détestais le dimanche. La journée commençait avec le bruyant appel des cloches,
puis une procession de paysans traversait la *plaza*.
Tous les villageois allaient à la messe, sauf les très
vieux ou les malades. Les hommes échangeaient
leurs vêtements de velours côtelé contre des costumes nets, des cravates, et les inévitables bérets.
Les femmes mettaient leurs plus belles robes et
beaucoup se couvraient la tête d'une mantille. Bien

que je ne fusse pas catholique, j'aimais la messe et
les chants pieux de la petite paroisse. C'était ce qui
suivait que je n'aimais pas, car la cérémonie termi-
née, les hommes partaient de leur côté. Je rentrais
avec Doña Teresa et les tantes ; Ramon et son père
restaient à parler au prêtre, puis ils se rendaient au
café, sous les arcades, et avec les autres hommes du
village, ils buvaient du café et mangeaient des biscuits. Encore une coutume locale.

Ces heures que je passais avec les tantes ! Il me
semblait passer plus de temps avec elles qu'avec
Ramon. Apparemment, on estimait que les hommes
devaient converser avec d'autres hommes et que les
femmes restaient avec les femmes. J'appris le cro-
chet : je ne voyais rien d'autre à faire.

Tony se développait, il était pour moi la source
de toute consolation. Il n'aurait pas pu être plus
heureux. Il n'avait pas eu de crise d'asthme, il
avait pris du poids et sa pâleur habituelle se transformait en un hâle de bonne santé. Il savait assez
d'espagnol maintenant pour se faire des amis partout, grâce à quelques mots dont il faisait des phrases assez peu grammaticales ; il les essayait sur moi,
sur la famille, sur Matilde et Rosa, sur tous ceux
qu'il voyait. Il les disait même aux canaris des
tantes.

Il n'avait jamais été timide, sans doute parce
qu'à l'hôtel il rencontrait beaucoup d'étrangers, et
si j'avais craint qu'à San Matio, il se sentît seul, je
me rassurai vite. Ses yeux brillants ,son sourire lui
gagnaient l'amitié générale. Don Felipe l'emmenait
promener dans la montagne, l'oncle Jorge le mettait dans sa voiture chaque fois qu'il sortait, les
tantes le prenaient avec elles, Doña Teresa aussi. Et
si je protestais, il suppliait :

— Je t'en prie, M'man ! Je t'en prie !

Alors je le laissais aller. Bientôt, quand il aurait vraiment maîtrisé l'espagnol, il irait à l'école de San Martin ; plus tard, Ramon projetait de l'envoyer à son collège d'autrefois à Barcelone. Il aurait la meilleure des éducations. Et ensuite ? Je n'osais pas voir aussi loin, car tout au fond de moi... C'était une impression bizarre : j'étais sûre qu'il arriverait quelque chose. Il le fallait ! Ce qui m'entourait ne pouvait être la totalité de mon univers, indéfiniment !

Ramon allant voir ses malades, Tony suivant Don Felipe « comme son ombre », je restais seule pour passer le temps comme je pouvais. Des heures interminables, si mornes... On ne me laissait faire aucun travail dans la maison. J'accompagnais Doña Teresa au marché avec Matilde, mais il n'y avait qu'un marché par semaine. Je faisais les comptes de Ramon, mais j'en avais pour une heure. J'étais inactive tout le reste de mes journées. On me traitait en invitée plutôt qu'en membre de la famille.

— On vous trouvera des tâches plus tard, disait-on. D'abord, il faut vous adapter à nos coutumes.

M'y adapterais-je ? J'étais sûre, en tout cas, comme au premier instant, que je ne m'habituerais pas à cette vie familiale en commun. Je me sentais submergée par la famille. Il n'y avait pour moi aucune intimité, aucune possibilité d'activité individuelle.

Et puis, je rencontrai Isabel et tout changea.

— Elle te plaira, me dit Ramon un après-midi, en m'emmenant à San Martin où elle habitait avec son père. Ils étaient chez des amis à Madrid au moment de mon arrivée et venaient seulement de rentrer chez eux.

Nous étions à la fin de juin, et les prés, émaillés

de fleurs printanières des premiers temps, étaient maintenant jaunes et desséchés. Chaque jour, le soleil brillait plus chaud dans un ciel sans nuage et la température montait. J'essayais d'imaginer Londres et sa pluie fine... je ne le pouvais pas. Le temps était splendide, mais on peut se fatiguer même du soleil.

Deux fois déjà j'étais venue à San Martin. Comme San Matio, le village était situé dans la montagne, un peu à l'ouest, mais il était beaucoup plus important. Il s'enorgueillissait de plusieurs boutiques et possédait même une petite industrie. Le père d'Isabel, Rafael Perez, était propriétaire d'une petite usine où l'on fabriquait, avec les arbres abattus sur les pentes, des jouets destinés à l'exportation. J'aimais beaucoup San Martin. J'aimais me retrouver parmi de nombreux individus.

Et Isabel me fut très sympathique.

Elle était plutôt de l'âge de Ramon que du mien. Pas jolie, mais fraîche et affable. Ses cheveux noirs, séparés par une raie médiane, étaient rejetés en arrière, coiffure sévère mais qui lui allait bien. Elle portait de grandes boucles d'oreilles pendantes. Quand nous entrâmes, elle vint à moi, les deux mains tendues.

— Je suis si heureuse pour vous deux ! dit-elle chaleureusement.

La maison se dressait près du centre de San Martin. Des fenêtres, on voyait beaucoup de choses. Cette vue me devint bientôt familière, tout comme le salon d'où je la contemplais, une pièce gaie, presque joyeusement meublée, avec beaucoup de couleur. Après les teintes neutres de la maison Mingote, je trouvais cela revigorant. Don Rafael avait perdu sa femme depuis des années et Isabel, ne s'étant pas mariée, tenait son ménage. Elle le faisait avec efficacité et bonne humeur. C'est une des choses que j'aimais en Isabel : elle était toujours gaie. Et elle semblait comprendre d'instinct les gens, ce qui rendait, envers elle, l'amitié facile. Ce n'était pas ce qu'elle disait, tout au moins pas au début, mais une chose que je sentis à sa manière d'être.

— Pour la femme anglaise de Ramon, j'ai fait des préparatifs exceptionnels ! dit-elle.

Elle désignait une table sur laquelle était préparé ce qui ressemblait le plus à un goûter anglais que tout ce que j'avais vu en Espagne : une assiette de sandwiches, un plat de petits gâteaux, un plat de biscuits. Il y avait même un service à thé d'argent ! Quand j'exprimai ma surprise, elle rit.

— Ramon ne vous l'a-t-il pas dit? J'ai été élevée en Angleterre, dans un couvent, à Londres ! Alors, je suis très au courant du « thé de cinq heures » des Anglais. Je voudrais que vous me disiez tant de choses ! Les soldats montent-ils toujours la garde à Whitehall ? Y a-t-il encore des corneilles à la Tour de Londres ? Et des puddings... On nous donnait énormément de puddings au couvent !

Bientôt, nous fûmes assis autour de la table à thé d'Isabel. Le thé était faible et les sandwiches, trop épais, mais comme elle les servait à la ronde, j'aurais presque pu me croire revenue en Angleterre. C'était bon de discuter avec elle d'endroits et de traditions familiers ! Comme nous bavardions ! En anglais, car elle parlait anglais aussi bien que l'espagnol. Je répondis à ses questions. Puis elle nous parla de son séjour à Madrid.

Isabel ne cherchait jamais que dire, dans une langue ou dans l'autre. Auprès d'elle, je me sentis à l'aise comme je ne l'étais avec personne dans la maison Mingote, malgré les efforts de tous. Il y avait tant de chaleur humaine en Isabel. Ramon parlait peu, mais assis dans un fauteuil, ses longues jambes croisées, il nous écoutait et je voyais qu'il était content.

Isabel se tourna vers lui.

— Ainsi, Ramon, dit-elle, ton père n'a plus à se lamenter : tu as ramené une femme à la maison !

Instinctivement, elle était revenue à l'espagnol, et sa voix baissa d'un ton.

— Il doit en être bien heureux.

— Oui, dit Ramon, il en est heureux. Mais mon premier souci, c'est que ma femme le soit.

— Comment Janet ne serait-elle pas heureuse, accueillie comme elle l'a été par tous ?

En anglais de nouveau elle s'adressa à moi.

— Evidemment, je pense qu'après avoir vécu dans une grande ville, vous devez trouver San Matio un peu... calme ?

C'était une question. J'hésitai.

— Il y a des difficultés de langage..., risquai-je.

— Vous avez toute ma sympathie ! Quand je suis arrivée au couvent, j'entendais tellement de mots inconnus et il y avait tant de manières de les employer ! Et maintenant, nous voilà tous parlant anglais pour que vous vous sentiez chez vous ! Je pense que c'est pareil chez les Mingote ? Oui ?

Elle rit de si bon cœur que ses boucles d'oreilles dansèrent.

— Je pourrais peut-être vous aider. Si Ramon y consent, vous pourriez venir ici. Deux fois par semaine ? Parfait. Nous bavarderons en espagnol. Qu'en dites-vous ?

J'étais ravie. En rentrant, Ramon m'avoua qu'il

n'en avait rien dit, mais qu'il espérait une invitation semblable d'Isabel. Le soleil se couchait comme nous parcourions les trois kilomètres qui séparaient San Martin de San Matio ; la route était bonne, jolie, et bien qu'un car réunît deux fois par jour les deux villages, je décidai que j'irais à pied voir Isabel. Cela me ferait du bien de quitter un peu la maison et l'ennui de ces longues heures vides.

Je jetai un coup d'œil sur Ramon. Il regardait droit devant lui. Nous arrivions à l'endroit où il avait arrêté sa voiture pour contempler la vue. Son paysage préféré. Et soudain, je m'en voulus de ne pas réussir à aimer San Matio autant qu'il l'aimait.

Isabel aurait été pour lui une épouse tellement meilleure !

**

Après l'animation de San Martin, notre village avait l'air oublié de tous. La résidence Mingote, le *palacio*, ainsi que j'en étais venue à l'appeler moi-même, avait plus que jamais l'air d'un musée rempli de meubles qui étaient anciens, mais sans nulle beauté. Et tout était si terne ! J'avais envie de courir partout avec des pinceaux et de couvrir les murs de couleurs, n'importe quoi pour cacher ces éternels bruns fanés, ces verts noirâtres. En ce qui concernait la chambre du « fils aîné », bien que j'y eusse apporté quelques modifications, rien ne l'éclairait et je frissonnais chaque fois que j'y entrais.

Et ceci me rappelle Alvez.

Ce fut Don Felipe qui pressa Ramon de m'y conduire. Nous dînions, je m'en souviens. C'était peut-être le lendemain de ma visite à Isabel, ou la semaine suivante. On dînait toujours très tard, céré-

monieusement, et ils m'avaient finalement persuadée
de laisser Tony dîner avec nous. Ils avaient raison.
Tony, désormais, était un enfant de l'Espagne et
il devait prendre de nouvelles habitudes : la sieste
l'après-midi et un demi-verre de vin à ses repas,
les petits Espagnols doivent goûter le fruit de la
vigne. Comme il avait changé ! Il arrivait ou dîner,
les yeux étonnamment brillants et l'esprit vif.

Ce soir-là, il était particulièrement bavard.

— Est-ce vrai, me demanda-t-il en un murmure
réservé à mon oreille, mais que tout le monde entendait, qu'il y a très longtemps, le diable a voulu
tuer tous les gens de San Matio ?

— Qui t'a raconté cette histoire ? demandai-je.

— Oncle Jorge.

Don Felipe interrompit sa conversation avec
Ramon pour déclarer :

— C'est exact. Mais le village a été sauvé et
c'est pourquoi nous allons en procession à Alvez,
une fois par an, pour exprimer notre reconnais-
sance.

Les yeux de Tony s'agrandissaient de stupeur.

— Comment le village a-t-il été sauvé ?

— Par la prière. Maintenant, Alvez est un lieu
béni. Mais vous, Janet ? ajouta-t-il, les sourcils
froncés, n'y êtes-vous pas allée ?

— Non, dis-je.

— Je ne comprends pas, dit Don Felipe à son
fils. Je pensais que tu avais conduit ta femme à
Alvez ! C'était le premier endroit où vous auriez dû
vous rendre ensemble.

— Je... j'attendais, dit Ramon.

— Eh bien, n'attends pas davantage. Allez-y dès
demain.

Don Felipe avait une manière à lui de donner des

ordres plutôt que des conseils. Et d'un seul coup tous les autres s'en mêlèrent, Doña Teresa, les tantes, oncle Jorge, jusqu'à Matilde qui servait à table. Tous répétaient que Ramon devait me conduire à Alvez. Que nous y allions au plus vite, cela paraissait de la plus grande importance. Ma curiosité s'éveilla.

— Où est Alvez ? demandai-je.

— Au flanc de la montagne, juste au-dessus de San Matio, expliqua Ramon. C'est un plateau. Il n'y a rien, sauf le point de vue. Et une petite église.

— Et le gros rocher ! murmura Tony d'un ton plein d'effroi. Oncle Jorge m'en a parlé.

— Ah ! oui, le rocher.

Ramon caressa les cheveux de Tony.

— Le « Roc du Diable » ! Je pense qu'il te farcit la tête de toutes sortes d'histoires étranges, non ?

— Il dit qu'il est tellement gros... ! J'aimerais le voir.

Tony étendait ses deux bras pour indiquer la taille du rocher.

— Eh bien, tu viendras avec nous, dit Ramon.

Il y eut peu de clients pour l'infirmerie le lendemain matin, et comme Ramon n'avait que deux visites à faire, il nous fut possible de partir de bonne heure pour notre expédition. Toute la famille s'intéressait à notre excursion : on nous regarda partir. Nous devions déjeuner sur l'herbe et Matilde mit dans la voiture un si grand panier à provisions que son contenu pouvait certainement nous nourrir pendant une semaine. Doña Teresa et les tantes nous accompagnèrent à la porte, et au moment où nous allions sortir, Don Felipe parut. Le père et le fils se regardèrent, puis le vieil homme se pencha et m'embrassa.

— Que Dieu vous bénisse ! me dit-il.

Ce fut surtout le ton de sa voix qui me frappa. Il ne s'agissait pas d'une phrase en l'air : c'était vraiment une bénédiction paternelle. La famille nous entoura : Doña Teresa m'embrassa, les tantes l'imitèrent, et même l'oncle Jorge me caressa la main. Je serai partie pour un grand voyage, qu'ils ne m'auraient pas dit adieu plus chaleureusement.

— Pourquoi toutes ces cérémonies ? demandai-je à Ramon qui claquait la portière. On croirait que nous partons pour une mission dangereuse ! Il ne s'agit que d'un pique-nique, non ? Ou... d'autre chose ?

— Pour nous, Alvez est un lieu béni, dit mon mari, répétant les paroles de son père.

Nous roulâmes dans la montagne. En chemin, Ramon entra chez deux malades qui vivaient, eux aussi, en des points isolés. Un chemin rocailleux nous amena ensuite au-dessus de San Matio et il nous fallut faire à pied le reste du trajet, après avoir garé la voiture à l'abri d'un bouquet d'arbres. Tony courait devant nous en chantant qu'il « voulait voir le roc du diable » ! Il riait, sautait de joie et instinctivement, je lui recommandai la prudence : quand il s'excitait trop, une crise d'asthme suivait. Il n'y en avait jamais eu encore à San Matio, mais je m'inquiétais tout de même. Ramon me prit la main.

— Rassure-toi, me dit-il. L'air des montagnes lui fait du bien.

La main dans la main, nous continuâmes à gravir le flanc de la montagne. Nous arrivions au-dessus de la ligne des arbres ; sur l'herbe n'émergeaient plus que de rares buissons bas entre quelques arêtes rocheuses. La vue était magnifique. D'un côté les hautes cîmes, de l'autre, très loin et très profondément déployée, la vallée de Santa Ana. J'apercevais le reflet du soleil sur les toits de San Martin. De là où nous étions, on ne pouvait voir San Matio... Une brise légère tempérait la chaleur : il était délicieux de marcher.

— Le rocher !

Avec un cri de joie, Tony, du haut de la montée, agitait les bras pour nous appeler.

— M'man ! Je le vois. Oh ! Dépêchez-vous !

Son exaltation était contagieuse. Tirant Ramon par la main, je me mis à courir. Ramon riait. Je riais aussi. Soudain, m'attirant près de lui, il passa son bras sous le mien et nous courûmes ensemble. Ce jour-là, j'oubliai tout devant le plaisir de cette promenade. Nous formions une famille, à nous trois, et c'était cela que je désirais, c'était cela qui devait être.

Nous parvenions en haut de la côte et je vis ce qui excitait Tony. C'était donc là Alvez, un plateau comme l'avait dit Ramon. Il n'était ni très large ni très étendu, pourtant il était impressionnant. Tout le sol se hérissait de rochers, les uns de la taille d'un homme, les autres plus petits, certains encastrés dans la paroi de la montagne abrupte. Et presque au bord du plateau se dressait le plus imposant, une gigantesque pierre grise recouverte d'un lichen jaunâtre. Comment tous ces rochers étaient-ils venus là, quel bouillonnement dans les entrailles de la terre les avait arrachés aux sommets, je n'en avais aucune idée.

Instinctivement, je m'arrêtai et regardai le spectacle avec stupeur. Même sous le soleil, il y avait quelque chose de sinistre et d'effrayant à ce plateau semé de pierres. Vu par un temps moins favorable, je devinais que l'endroit devait être terrifiant.

Adossée à la paroi, à l'autre bout du plateau, je vis la chapelle et son clocher, un petit bâtiment gris, si vieux qu'il semblait être tombé là en même temps que les pierres.

Tony courait à moi.

— Eh bien, mon fils, maintenant, tu vois le « roc du diable ».

Mon fils... le terme était venu tout naturellement aux lèvres de Ramon. Nous nous avançâmes vers l'énorme rocher qui paraissait posé dangereusement près du bord du plateau. A côté de lui, je me sentais toute petite : il avait deux fois ma hauteur. Regardant vers le bas, je remarquai, en dessous de nous, une corniche étroite, totalement dépourvue de pierre saillantes. Plus bas encore, la montagne abrupte plongeait sur San Matio, presque en droite ligne. Du village, on ne distinguait que quelques maisons.

— Dites-moi comment le diable voulait tuer les gens de San Matio ! demanda Tony à Ramon.

— Ce n'est qu'une légende.

— Mais dites-la moi. Je vous en prie, Père !

— C'était il y a très, très longtemps...

Au-dessus de la tête de Tony, Ramon me sourit.

— Le diable était en colère. D'une humeur noire, comme vous diriez. Il errait dans la montagne, là-haut : tu vois ? Dans sa fureur, il arrachait des morceaux de montagne, des grosses pierres, et les jetait sur ce plateau. Imagines-tu cela ?

Tony hocha vigoureusement la tête.

— Là-bas, à San Matio, les gens entendaient le diable grincer des dents. Ils l'entendaient grogner. Ils entendaient le bruit des pierres qui tombaient. Il y a très longtemps de cela tu comprends. Ils avaient peur. N'aurais-tu pas eu peur ?

De nouveau, Tony hocha la tête.

— Alors ils ont prié. Prié très fort. Et il y a eu un miracle. La Sainte Vierge a entendu les prières et, tout à coup, elle est apparue là, à l'endroit où est maintenant la chapelle, et le diable, qui se préparait à précipiter le plus gros rocher sur le village, la vit. Il s'enfuit et San Matio fut sauvé. C'est pour cela qu'en octobre, pour la fête de Santa Maria de Alvez, nous venons ici en procession. Pour la remercier.

Tony poussa un grand soupir.

— C'est une belle histoire ! dit-il.

— Dèjà, ton fils est des nôtres, me dit Ramon en souriant. Un vrai enfant de San Matio. Il ne sait pas encore bien parler notre langue, mais il s'est fait une place parmi nous. Et toi, Janet ?

Il baissa la voix.

— Parfois, je me demande...

Je fis mine de n'avoir pas entendu et je m'approchai du « roc du diable » pour le regarder de plus près. Cet endroit était un caprice de la nature : on comprenait que des légendes en soient nées. On aurait presque pu penser qu'il y avait du vrai dans l'ancienne fable, et qu'une main surnaturelle avait semé de rochers le plateau. Le « roc » était profondément enfoncé dans le sol, et comme je l'examinais, un vague souvenir revint à ma mémoire, une phrase entendue peu après mon arrivée...

— Ramon, Don Ignacio n'a-t-il pas dit que le rocher bougeait ? Je me souviens de ta mère, traduisant cela. C'était à la suite des neiges de l'hiver, disait-il, je crois.

— Il dit cela tous les ans. Non, le rocher ne bouge pas. S'il bougeait...

Il fit une grimace.

— A San Matio, nous pourrions nous hâter de dire nos prières !

Nous déjeunâmes sur le plateau d'Alvez, à l'ombre du « roc du diable ». Ce point d'ombre était le bienvenu car il faisait chaud sous le soleil brûlant. Matilde nous avait préparé un véritable festin : je tirai du panier des omelettes froides, fourrées de saucisses, de porc et d'herbes aromatiques, un poulet, du jambon fumé et des tranches de veau roulées autour d'œufs durs. Il y avait du pain, frais et croustillant, une quantité de fruits et deux bouteilles de vin.

— Croit-on que nous allons camper une semaine ici ? demandai-je.

Après le repas, nous n'avions pas envie de remuer, sauf évidemment en ce qui concernait Tony. Il ne restait jamais tranquille. Il s'en fut, explorant, contournant les rochers, grimpant plus haut dans la montagne. Ramon et moi paressions dans la flaque d'ombre, parlant peu, dormant à moitié. Il m'avait attirée contre lui et ma tête reposait sur sa poitrine. Ses doigts passaient dans mes cheveux, lentement, amoureusement.

Autrefois, Peter tournait mes cheveux autour de ses doigts... Depuis peu, je pouvais évoquer Peter sans me dire que je le trahissais. L'œuvre du temps, je suppose. Il eudort les sensations, accoutume les êtres au présent, de sorte qu'il devient possible de vivre « en ce moment » au lieu de rester sans cesse à l'ombre du passé.

Si seulement nous pouvions nous construire une maison loin de la famille ! C'était la famille qui m'ennuyait. De petites choses, parfois absurdes..., leur manière d'appeler Tony « Antonio », ce que Ramon, lui, ne faisait pas. Ce n'était rien en soi, mais cela symbolisait la façon qu'avait la famille de régenter la vie de mon fils comme la mienne, comme s'ils s'étaient emparés de mon autorité. Une maison à nous ! Une maison pour nous trois. C'était cela que je voulais.

Ramon n'y consentirait jamais.

Même sans en parler, je savais ce qu'il répondrait. En tant que fils aîné, il était nécessaire qu'il habitât chez son père. C'était une chose établie.

Soudain, sa main s'immobilisa.

— Janet..., dit-il presque bas, je voudrais te demander quelque chose. Je le désire depuis longtemps, mais je n'ai pas osé : j'avais peur.

— Peur ?

— Peur de te perdre.

Je tournai la tête pour le voir. Il s'était dressé sur un coude et me regardait. Dans ses yeux, je vis la même expression de tristesse que j'y avais vue déjà une fois. Cela me fit mal. Je savais que j'en étais cause.

— Je ne comprends pas, dis-je.

— Il vaut mieux, pour nous deux, que tu sois parfaitement franche. Bien que..., que deviendrais-je si tu me quittais..., Janet, ma bien-aimée !

Il se pencha et ses mains me touchèrent, me caressèrent, comme s'il craignait de ne plus pouvoir jamais me toucher. Je sentais ses doigts parcourir mon visage, mon épaule, mon sein. Sa voix trembla.

— J'ai toujours su que ce ne serait pas facile pour toi, mais j'espérais qu'avec le temps, tu trouverais le bonheur. Ne t'ai-je pas donné ce que je t'ai promis ? Ma famille t'aime. Notre maison, depuis que tu y es arrivée avec ton fils, a commencé une vie nouvelle. Tu ne te plains pas, mais parfois, je t'observe et... il faut que je te le demande.

De nouveau, ses mains s'immobilisèrent.

— Es-tu... heureuse ?

C'était l'occasion de parler. Et les mots ne venaient pas.

— Parce que, si tu n'es pas heureuse...

Il avala sa salive.

— Voici ce que je veux te dire : le mariage est un lien d'affection, noué sous l'œil de Dieu. Mais si je ne te rends pas heureuse... si j'ai... échoué... alors, tu ne me dois rien. Tu es libre de... de partir.

Il attendait ma réponse. Ses yeux, inquiets et suppliants, observaient mon visage. Comment pouvais-je être franche quand ma franchise le ferait souffrir davantage ? Je levai les bras et les passai autour de son cou. J'attirai sa tête vers la mienne et je l'embrassai.

— Je ne mérite pas un tel amour..., murmurai-je.

J'étais absolument sincère.

*

Nous restâmes sans bouger, à un monde de San Matio et de la famille, de tout ce qui m'agaçait. Oui, nous aurions pu être heureux s'il nous avait été possible de construire notre existence comme nous le voulions. Dans l'herbe, j'entendais le crissement des insectes... plus loin, la voix de Tony qui se parlait à lui-même, nous adressant parfois un mot.

Enfin nous nous relevâmes. Je secouai les brins d'herbe attachés à ma robe, Ramon rassembla les restes de notre pique-nique, puis il regarda la chapelle.

— Nous ne pouvons pas nous en aller sans

avoir fait une visite à Santa Maria de Alvez, dit-il.
C'est important.

Il prit ma main et ensemble nous nous dirigeâ-
mes vers la chapelle. Elle avait l'air très ancienne.
Trois marches conduisaient à sa porte aux gonds
rouillés. Avec effort, Ramon réussit à l'ouvrir et
nous entrâmes.

C'était donc là que les habitants de San Matio
venaient en procession en octobre. La chapelle
était si petite qu'elle ne pouvait contenir qu'une douzaine de personnes. Sa seule fenêtre s'ouvrait très
haut et il fallut plusieurs minutes pour que mes yeux
s'habituent à la lumière avare. Il y eut un bruit
d'ailes : un oiseau avait fait son nid dans le petit
sanctuaire, et apeuré par notre présence, il volait de
tous côtés. Finalement il regagna son nid et ne
bougea plus.

L'intérieur de la chapelle semblait aussi vétuste
que l'extérieur, mais il était soigneusement balayé.
Une balustrade de bois séparait l'autel de la nef en
réduction. De côté, je vis une statue de la Vierge,
habillée de soie blanche, comme une poupée. Le
visage de la statue était tellement usé par le temps
que ces vêtements cérémonieux paraissaient incon-
grus.

Je remarquai les bouquets.

Ils étaient posés aux pieds de la statue, trois bouquets flétris, les fleurs sèches, les feuilles racornies.
Des bouquets de mariage. Je les désignai du doigt.

— Pourquoi... ?

— Les mariés viennent toujours ici après le
mariage, dit Ramon. C'est l'usage.

— Et les femmes laissent leur bouquet ?

— Oui. Elles viennent ici demander... des fils.

Ainsi, c'était pour cela que Don Felipe tenait

tant à ce que Ramon m'amène à Alvez ! C'était pour cela que les femmes de la maison s'agitaient au moment de notre départ.

— Avant de s'en aller, le jeune couple allume un cierge. Attends...

Ramon s'approcha d'une boîte accrochée au mur, il en tira un cierge mince et long, l'alluma, le mit sur un porte-cierges devant la statue, et revenant près de moi, sans un mot, s'agenouilla en baissant la tête. Immobile, je contemplais la flamme vacillante. Le porte-cierge était recouvert d'une couche de cire, laissée par les cierges allumés par d'autres.

Je demandai à mi-voix :

— Pourquoi ne m'as-tu pas amenée ici plus tôt ?

— Je savais que pour toi ce... ce n'était pas facile.

Sa voix dépassait à peine le murmure. Il ajouta :

— Je... je comprends.

Dans le silence, j'entendis siffler un goutte de cire qui retomba. Au dehors, le soleil brillait. Sur le plateau semé de ces étranges rochers, mon fils s'amusait. Le fils de Peter.

Seulement, d'un seul coup, j'oubliai tout cela. J'oubliai la maison détestée, la famille qui grouillait à l'intérieur. En cet instant, la petite chapelle était mon univers : ce petit sanctuaire de montagne, et le cœur de ce sanctuaire, c'était l'homme agenouillé là, la tête penchée.

Je n'avais pas de fleurs à offrir.

Faute de cela, je pris un cierge, je l'allumai à celui de Ramon, et je le mis à côté de l'autre. Ramon leva les yeux, et silencieusement, tendit la main.

Auprès de lui, je m'agenouillai sur les dalles fraîches.

CHAPITRE VIII

Ainsi passèrent les semaines. Je me souviens de journées brûlantes, d'un ciel si bleu qu'il faisait mal aux yeux. Parfois, les humeurs irritaient à cause de la température. Nous recherchions l'ombre au dehors et tout restait soigneusement fermé dans la maison. Il n'y avait pas de climatiseur, mais dans le salon, un ventilateur électrique tournait bruyamment : les heures passaient pour nous, accompagnées par ce ronronnement. Malgré la chaleur, Tony s'épanouissait, vivant dans ce nouveau pays, cette existence nouvelle, comme s'il était dans son élément. Il s'était fait des amis parmi les garçons du village et on le voyait souvent devant l'église, jouant au football avec eux.

Je l'observais avec stupeur. Musclé, bronzé..., était-ce bien là l'enfant dont la santé m'inquiétait si souvent ? L'air de la montagne avait accompli un miracle, et il avait l'air parfaitement heureux. Chaque matin, Don Felipe, son béret sur la tête, suivi de Rodrigo qui dirigeait le domaine, parcourait les pentes, inspectant, évaluant, donnant des ordres. Et le jeune Tony l'accompagnait, toujours comme son ombre. Entre le vieillard et le petit garçon s'était tissé un lien de véritable affection. Etrange : Felipe était ce genre de personne qui attire plutôt le respect que la tendresse.

Avec l'arrivée du plein été, la campagne changea. Il avait peu plu au printemps et les paysans secouaient la tête en contemplant le bout de terrain qu'ils cultivaient : ils prévoyaient de maigres récoltes. Les champs, tapissés de fleurs à mon arrivée, étaient maintenant desséchés. On gardait le foin en meules coniques. Il y avait de la poussière partout. Même de loin, on suivait le trajet d'une auto rien qu'au nuage de poussière qui suivait.

La rivière n'était plus qu'un filet d'eau. Je la traversais souvent en allant voir Isabel. Sur les bords, il y avait toujours quelques femmes à genoux, lavant le linge de la famille. Leur travail était dur, sans doute, mais elles paraissaient si heureuses, bavardant et riant, que je les enviais. Le linge, frotté et savonné, était étalé au soleil. On recommençait trois fois l'opération avant le rinçage final, après quoi la lessive étendue séchait à la chaleur. Je m'arrêtais pour regarder. Au début, j'intimidais les femmes, mais maintenant, elles m'accueillaient toujours par un geste ou un mot.

Nous avions projeté deux visites par semaine à Isabel, mais pour finir, j'allai à San Martin à peu près tous les deux jours. J'aimais faire le trajet à pied, j'aimais la compagnie d'Isabel. Souvent, nous faisions des courses ensemble. Les boutiques n'étaient pas nombreuses à San Martin, mais parfois un marché itinérant y passait : les marchands arrivaient dans des charrettes ou des chariots et disposaient leurs produits, balais, vêtements, pièces d'étoffes, sur des comptoirs improvisés.

Quelquefois, le père d'Isabel, Rafael Pérez, venait se joindre à nous dans le salon. C'était un petit homme rond et jovial, vivant contrairement à Felipe Mingote. Un jour, il me fit visiter l'usine Pérez. « Usine » était un bien grand mot pour le petit bâtiment où une douzaine d'ouvriers fabriquaient des jouets en bois.

— Je prévois l'avenir, me dit Don Rafael, sa voix presque couverte par le gémissement des scies. Les jeunes ne voudront pas rester toujours ici. Votre fils, par exemple : il souhaitera une position plus importante. Il nous faut leur procurer ces positions. Et nous le pouvons. Comme cela...

Il désignait des caisses prêtes à être expédiées à Madrid, Paris, Londres.

— Et il y a le tourisme. Pourquoi ne pas attirer les touristes dans nos montagnes ? Ils désirent le calme, nous l'avons. Ils souhaitent la beauté : nous pouvons la leur offrir.

— Une station de vacances ? demandai-je avec hésitation.

— Pourquoi pas ? Ce que nous pouvons proposer ne satisferait pas les gens qui veulent s'amuser, mais beaucoup aimeraient partager ce que nous avons.

Isabel riait.

— C'est la question favorite de mon père. Si vous l'entendiez discuter avec Felipe... !

Elle reprit son sérieux.

— Je crois qu'il a raison. Nous ne pouvons indéfiniment vivre dans le passé. Si on construisait un hôtel ici, ou à San Matio... ce serait le commencement.

Je l'imaginais très bien, pas un très grand hôtel, mais attrayant, avec de beaux jardins et une vue

magnifique. Construit peut-être aux abords de San
Matio, à l'endroit où Ramon aimait arrêter sa voi-
ture. Isabel disait vrai, cette idée avait de l'avenir.
Et maintenant je pensais non pas à moi, mais à
Tony et aux années qui venaient.

— Cela se fera, déclara Rafael Pérez. J'estime
que même ici dans nos montagnes, nous devons pré-
parer la place de nos jeunes.

Oui, j'aimais mes visites à Isabel. Fidèle à sa
promesse, elle ne me parlait qu'espagnol et mes
notions élémentaires de la langue s'étaient étendues :
je pouvais converser assez facilement. C'était une
amie pleine d'entrain. Par les tantes, je m'étais vu
confirmer mes suppositions : Felipe et Rafael espéraient marier leurs enfants. Cela ne s'était pas fait.
« Avant de vous rencontrer, je n'ai ressenti aucune
affection pour une autre femme », m'avait dit
Ramon.

Et Isabel ?

Si elle avait aimé Ramon, et je la soupçonnais
de l'aimer encore, elle ne témoignait d'aucune jalousie. Au contraire, elle me comprenait dans son affection. C'était une véritable amie. Nous causions
ensemble, nous riions, nous échangions de petites
confidences. Il n'y avait qu'une chose que je n'avais
pas le courage de lui révéler.

Je ne pouvais pas me résoudre à lui dire que
j'attendais un enfant de Ramon.

A la fin d'août, j'en fus certaine. Je le savais
sans avoir besoin d'un avis médical.

Je me rappelle ce matin-là avec précision.
Ramon avait été appelé pendant la nuit au chevet
d'un mourant et j'étais seule dans la chambre du
« fils aîné ». La nausée vint tout à coup et me réveilla. Quand je me recouchai, je restai immobile,

les mains sur le ventre, essayant de sentir l'embryon de vie que j'abritais.

Un enfant...

Il me semblait revoir les cierges luisant dans la chapelle de la montagne. Un fils. Ramon le désirait. Et maintenant, peut-être un fils se formait en moi. Pour Ramon, j'en étais heureuse. Depuis trop longtemps, j'étais seulement bénéficiaire. Cet enfant, notre enfant, serait le don que je lui ferais. Puis je me rappelai qu'un enfant né dans cette maison ne serait pas totalement mien. Des mains avides voudraient me le prendre : grand-mère, arrière grand-mère, tantes... Mon enfant appartiendrait à la famille Mingote.

Je m'agitai dans le grand lit. Je m'étais enfin affranchie de l'image des épouses Mingote assemblées autour de nous, j'avais accepté cette chambre, leur chambre, pour la mienne. Voilà que je sentais de nouveau leur présence comme le premier jour. Et ce lit où elles avaient aimé et souffert, et tenu fièrement leurs nouveau-nés, me semblait être le leur et non le mien. Je venais à la fin d'une longue procession. J'avais vu les noms dans une bible, à la bibliothèque : Teresa, Adela, Maria, Bernarda, Lucia. Quand mon fils naîtrait dans ce même lit, je perpétuerais la tradition Mingote.

Mon fils ?

Déjà, j'étais prise par leur façon de penser. Ce serait peut-être une fille. J'aimerais avoir une fille.

Mais fille ou garçon, un détail dépendrait de moi, j'en pris soudain la résolution : la tradition serait brisée. Une jolie chambre claire dans une maternité de Barcelone... c'est là, si tout allait bien, que naîtrait notre enfant.

Il faudrait que Ramon organise cela.

∗
∗∗

D'abord, je ne lui dis rien. L'instinct me poussait à garder la nouvelle pour moi seule. Quand il saurait, toute la famille saurait et l'enfant que je portais ne serait plus tout à fait le mien. Il serait aussi le leur. Ils se réjouiraient. Depuis le jour de mon arrivée, on m'observait, on faisait des allusions, on interrogeait sans en avoir l'air. Je devinais leurs pensées.

Un jour, Jaime revint, et on oublia tout le reste.

Jaime avait quitté San Matio au début du printemps. Ce qu'il faisait pour vivre me demeurait mystérieux, mais ses allées et venues le conduisaient à des endroits agréables : il arrivait parfois des cartes postales de Tanger, Madère, Lisbonne. Don Felipe les lisait tout haut et secouait la tête.

— Ton frère ne travaille-t-il pas ? avais-je demandé à Ramon.

— Il s'occupe de certaines affaires, répondit mon mari, mais...

Il haussa les épaules.

— L'ennui, c'est qu'il a ce que vous appelleriez des fourmis dans les jambes. Il aime remuer. Il ne se fixe jamais.

Isabel fut plus loquace.

— C'est un enfant gâté, il l'a toujours été. C'est un flemmard, mais quand il veut bien s'en donner la peine, il est si charmant que personne ne peut lui résister. Sa mère moins que tout autre.

Craignant que je n'aie mal compris, elle ajouta :

— Ne croyez pas que Ramon en pâtisse, mais Jaime est né bien après ses frères et Doña Teresa lui porte une tendresse spéciale.

Il était son favori, en d'autres termes. N'est-il

pas naturel qu'une mère, en secret, chérisse un enfant plus que les autres ? Je me demandais si j'éprouverais pour mon enfant à venir la tendresse que je déversais sur Tony. Le temps seul me le dirait. Quant à Jaime, j'avais l'impression de le connaître, ayant vu chaque jour ses portraits, enfant, adolescent et jeune homme.

Peu après mon arrivée, il y avait eu consternation dans la famille, une des tantes ayant vu sa photo dans un journal de Madrid : il était en compagnie d'une danseuse, connue pour ses mœurs assez libres. Il y eut une discussion rapide entre les femmes, puis Doña Teresa déchira le journal.

— Je ne veux pas de soucis pour Felipe, dit-elle.

Mais voilà que, sans crier gare, Jaime arrivait. J'étais sortie avec Tony et comme nous arrivions à la rivière, un bref coup de klaxon me fit saisir la main de l'enfant et le tirer en arrière. Une voiture passa en trombe, nous évitant de quelques centimètres. Elle franchit le pont et sans ralentir, disparut dans la rue du village. Tony était tout pâle.

— Où va cette voiture ? demanda-t-il. Il n'y a pas de route pour sortir de San Matio !

Les sourcils froncés, je regardais la rue étroite. Celui qui s'y était engagé à cette allure témoignait d'un total égoïsme.

— Viens, dis-je à Tony. C'est peut-être un visiteur.

La voiture blanche se trouvait arrêtée devant le *palacio,* et quand nous entrâmes, j'entendis des voix dans le salon. La jeune Rosa, en nous ouvrant la porte, nous dit avec excitation que Jaime était revenu.

— On ne s'y attendait pas ! ajouta-t-elle.

La famille était assemblée dans le salon et

entourait le nouvel arrivant de tant d'agitation que
d'abord personne ne remarqua notre entrée. Il y
avait des verres et du vin sur la table et Matilde servait les inévitables petits gâteaux.

Jaime tournait le dos. Plus petit que Ramon, il
était mince, les cheveux coupés à la dernière mode,
élégamment vêtu. Il tapait dans le dos d'oncle Jorge,
baisait la main de tante Maria, et ne cessait de parler en gesticulant. Ramon m'aperçut et lui fit un
signe : il se retourna en souriant.

— Ainsi, c'est Janet !...

Son sourire s'effaça brusquement. Je le vis tres-
saillir en me reconnaissant, mais très vite, il se
reprit. Il porta ma main à ses lèvres.

— Pourquoi personne ne m'a-t-il rien dit ? Je
te savais marié, mais je m'attendais à une jeune
madame anglaise empesée, et au lieu de cela...
Ramon, tu as toutes les veines !

— On a besoin de veine quand vous êtes au
volant d'une voiture ! ripostai-je aigrement.

Jaime fit la moue. Mécontent, il savait à quoi je
faisais allusion, mais il détestait les rebuffades et
n'en avait pas l'habitude. Don Felipe posa son verre.
La conversation, animée à l'instant, s'interrompit.
Ramon paraissait étonné.

— Y a-t-il quelque chose qui ne va pas ? demanda-t-il.

— C'est un miracle que tu ne sois pas veuf !
répliquai-je, toujours en colère. Au moment où
nous allions franchir le pont, cette voiture...

— Oh... ! C'était vous ?

Avec un sourire doucereux à l'adresse de la
famille, Jaime se lança dans les explications.

— Vous savez comme la route tourne avant
le pont. J'ai fait une embardée pour éviter une chè-

vre et j'ai dû prendre le virage très court. Mais je vous avais vue.

De nouveau, il se tourna vers moi.

— Si vous et l'enfant avez eu peur, je suis désolé.

La famille intervint.

— On devrait redresser cette partie de la route, dit Don Felipe. Elle est dangereuse, il y a long-temps que je le dis.

— Un jour, il y aura un accident, déclara oncle Jorge.

Même Ramon fut d'accord. Personne ne fit re-marquer que si les conducteurs ralentissaient, le danger serait bien diminué. Jaime réitéra ses regrets en me souriant.

Ce soir-là, il y eut beaucoup d'allées et venues au *palacio* : par téléphone, Doña Teresa avait annoncé l'arrivée de Jaime à tous les parents qui habitaient les villages des alentours et nombreux furent ceux qui vinrent le voir aussitôt. Assise sur un canapé auprès de Tony, j'observais la scène.

Oui, Jaime était le préféré, et comme le disait Isabel, il avait du charme. Il avait le sourire facile, mais je remarquai que lorsqu'il ne souriait pas, son expression devenait maussade. Tout le monde, depuis ses parents jusqu'aux domestiques, lui faisait fête et s'empressait autour de lui, et quand il annonça son intention de rester quelque temps à San Matio, ils furent tous ravis. Je gémissais intérieurement : un nouvel occupant pour cette maison encombrée !

Si seulement Ramon et moi pouvions avoir notre maison à nous !

Le soir, dans notre chambre, Ramon me dit ce qui ramenait Jaime au bercail.

— Il a des dettes, me dit-il tout bas comme s'il

craignait que les murs ne l'entendent et ne trahissent
sa confidence. Jaime n'est pas doué pour les affaires.
Il nous faut faire quelque chose.

— Il a trop dépensé ?

— Mon frère dépense toujours largement,
mais... il s'agit d'affaires, cette fois.

Ramon était couché sur le dos. Je le sentis
inquiet. Je passai un doigt caressant sur son front
creusé d'une ride. Il me prit la main, la baisa, puis
passa son bras autour de moi et m'attira contre
lui.

— Raconte, dis-je en me blotissant.

— Il a signé un contrat d'asssociation pour vendre un nouveau produit, importé de France. Or, il
n'a pas rempli ses engagements. Ce n'est pas vraiment sa faute...

Mais voyons... !

— ... mais il est responsable de certaines dépen-
ses, et si elles ne sont pas réglées... il sera poursuivi
en justice.

— Ainsi, il se balade en Europe en s'amusant,
et quand les choses se gâtent, il vient pleurer ici !

— Janet ! dit Ramon avec stupeur. Jaime ne te
serait-il pas sympathique ?

— Non, dis-je carrément.

Il rit doucement.

— Tu dois bien être la première femme capable
de lui résister. J'en suis content... Depuis notre
enfance, mon frère a toujours voulu tout ce que
j'avais. Je... j'avais peur.

Je me serrai plus près de lui.

— Ce n'est pas la peine.

Ses lèvres prirent les miennes et le silence tomba
sur nous, mais je me demandais si j'aimais réellement Ramon ou si je me forçais à l'aimer, par gra-

titude. Je ne retrouvais pas la passion qui régnait entre Peter et moi. Cet amour-là, s'il s'agissait d'amour, s'exprimait avec plus de retenue. Cependant, il était tout aussi sincère.

— J'ai promis d'arranger les choses, dit enfin Ramon. J'ai besoin de ton aide.

— Comment cela ?

— Il faut que mon père ne sache rien. Cela l'humilierait. Si je t'emmène à Barcelone, il n'imaginera pas que nous y allons pour affaires. Pendant que je verrai la personne à laquelle Jaime doit cet argent, tu pourras t'amuser à courir les magasins. Tu veux bien ?

J'acceptai. Echapper à cette maison, fût-ce pour un jour, respirer la vie intense d'une grande ville... J'aurais accepté pour cela, n'importe quoi.

**

Aux abords de Barcelone, nous fûmes pris dans un embouteillage : Ramon enrageait. Les agents gesticulaient frénétiquement et sifflaient... Moi, j'étais ravie. Je buvais le spectacle.

C'était bon de voir du monde, de la circulation, de beaux magasins. Bon de faire partie de la foule. Jamais je n'aurais prévu que je regretterais les bruits de la ville, la circulation continuelle dans les rues... mais Seigneur ! comme tout cela me manquait ! De la voiture, j'essayais de tout regarder, de tout entendre à la fois. Nous étions venus deux ou trois fois à Barcelone déjà et j'aimais cette ville. Ce jour-là, pendant que Ramon vaquait à ses affaires, j'eus tout le temps de l'explorer.

Je m'arrêtai un moment devant les boutiques des marchands de fleurs. Une fille aux yeux noirs portait une corbeille de glaïeuls et j'en achetai, botte après botte, jusqu'à en avoir plein les bras. Je ne savais qu'en faire, mais après la grisaille du *palacio*, je ne pouvais plus résister à l'enchantement des couleurs.

Que cette matinée me fit plaisir ! Je parcourus le port, où des bateaux de tous les pays du monde étaient ancrés. Je fis du lèche-vitrines.

Près de la cathédrale, je vis « le châle ».

Il était en devanture avec des vêtements d'enfants, un châle blanc doux, ravissant, si finement tricoté qu'il semblait n'avoir jamais été touché par des mains humaines. Et pendant que j'admirais « Le châle », l'enfant que j'avais conçu devint une personne, toute petite, toute chaude, toute pelotonnée. J'avais envie de ce châle tout comme, soudain, j'avais envie de cet enfant.

J'entrai dans la boutique.

Pour finir, je regagnai la voiture très tard : Ramon commençait à s'inquiéter.

— J'avais peur que tu ne te sois perdue, me dit-il en m'ouvrant la portière. Je vois que tu as fait des achats... mais toutes ces fleurs ! Pourquoi cet énorme bouquet ?

— C'est pour ta mère, dis-je.

— C'est gentil de ta part.

Il prit les glaïeuls et les mit sur la banquette arrière.

— J'espère que tu as acheté quelque chose pour toi aussi ?

Il n'avait pas remarqué le paquet, sur mes genoux.

— Oui, dis-je en posant la main sur le papier blanc.

— Bien.

Il mit le moteur en route et, guettant l'instant de se mêler à la circulation, il ne regardait même pas mon paquet.

— Qu'as-tu acheté ?

— S'il te plaît, Ramon..., attends.

Il fallait que je lui dise. Maintenant. Oui, là dans cette rue animée.

— Je voudrais te montrer...

Il coupa le contact et sourit avec indulgence. J'écartai la ficelle et lentement je déroulai le papier. Une dernière feuille de papier de soie s'ouvrit. Intrigué, mon mari leva les sourcils.

— Qu'est-ce que c'est ?

Il prit la douce laine blanche qui se déplia, prit l'apparence d'un châle. Un châle certainement destiné à un bébé.

Je l'entendis reprendre sa respiration.

— Tu es sûre ? demanda-t-il.

Je hochai la tête.

D'abord, il ne dit rien. Il prit mes mains et les porta à ses lèvres, puis, les libérant, il parla d'une voix altérée.

— Tu n'imagines pas... Ma famille ! Ils seront si heureux !

***

Elles cousaient et tricotaient depuis que Ramon leur avait annoncé la nouvelle. Mon bébé ne manquerait pas de vêtements ! Et de beaux vêtements : Doña Teresa et les tantes étaient habiles de leurs doigts. Etais-je une ingrate ? Je m'en voulais de ne pas pouvoir faire une couture droite ou un tricot fin. Alors je les regardais coudre et tricoter. Cela leur faisait plaisir de travailler ainsi.

A cause du bébé, je devenais une personne importante. Maintenant, c'est pour moi qu'on avait des attentions. Si Don Felipe l'avait pu, il m'aurait condamnée à neuf mois de repos. Dès que je m'asseyais, les tantes me glissaient des coussins dans le dos. La vieille Matilde me donnait des conseils. Je n'avais besoin de rien de tout cela. Doña Teresa sortit la robe de baptême qu'avaient portée Felipe avant ses trois fils.

« Maintenant, elle est à vous », me dit-elle en lissant la dentelle fripée. Même la vieille grand-mère s'intéressait à l'événement. Un jour, sortant de sa somnolence, elle me sourit de sa bouche édentée.

— Vous aurez un beau garçon ! prophétisa-t-elle.

Seul Jaime ne dit rien. Il me savait enceinte, la nouvelle s'était répandue dans toute la maison, mais contrairement aux autres, il ne prononça pas un mot. Je le supposais agacé de me voir entourée de tant d'embarras. Parfois, dans une glace, j'entrevoyais son visage : ses lèvres se crispaient d'irritation. Il était jaloux, non de moi, mais de ce petit-fils passionnément attendu.

Septembre était venu. Les dettes de mon jeune beau-frère avaient été discrètement payées, mais pour des raisons personnelles, sans doute, il semblait faire à San Matio un séjour prolongé. J'aurais voulu qu'il parte. Il paressait toute la journée, prétendant aider son père, ne faisant à peu près rien. Mais il était là tout le temps, à me guetter.

C'était sa manière de me surveiller qui m'exaspérait, une manière souriante, silencieuse. Parfois, tournant la tête tout à coup, je voyais ses yeux fixés

sur moi, reflétant toujours la même expression
d'amusement ironique.

Quand nos regards se rencontraient, je rougis-
sais, car ces yeux rieurs semblaient me déshabiller.
Je ne pouvais rien leur cacher, pas même ma pensée,
et la résidence Mingote, qui me réservait jusqu'alors
peu d'intimité, ne m'en offrait plus du tout. Puis, un
jour, la jalousie de Jaime se changea en méchanceté
mesquine. Et après cela...

Ce ne fut qu'une coïncidence, bien sûr, mais
cela se produisit au début de ce week-end fatidique.

Le week-end de l'orage.

⁑

Ce fut ma rencontre avec l'auto-stoppeur qui
provoqua la chose. C'était un vendredi et j'allais
chez Isabel. Un triste vendredi gris. Le ciel bleu
n'était plus qu'un souvenir : toute la semaine précédente, de lourds nuages avaient frôlé les sommets,
les cachant parfois tout à fait. L'air était si acca-
blant que la pluie aurait fait du bien, mais la pluie
ne venait pas.

Je marchais lentement, suivant la route que
j'avais empruntée si souvent ces derniers mois.
Juste après la rivière, je m'arrêtai, comme je le
faisais fréquemment, pour regarder la petite maison
qui s'accrochait à la montagne. C'était un vieux
bâtiment décrépit, aux murs pelés, au toit croulant,
pourtant je ne pouvais m'empêcher de le regarder
avec envie. Car il était désert. Ce devait être la
seule maison vide de San Matio. Et à sa vue, je ne
pouvais m'empêcher d'imaginer combien la vie
serait différente pour moi si seulement nous pouvions habiter là, dans une maison à nous seuls.

Un rêve probablement irréalisable : pourtant, je m'arrêtais, je regardais et je faisais des vœux avant de poursuivre ma route. Et ce jour-là, je ne la poursuivis pas longtemps avant de voir quelque chose qui me fit oublier la maison abandonnée.

Un auto-stoppeur.

Assis au bord de la route, son sac auprès de lui, il regardait une carte étalée sur ses genoux. Quelque chose en lui, peut-être son visage semé de taches de rousseur, peut-être ses cheveux carotte, proclamait sa nationalité. Instinctivement, je m'arrêtai.

— Avez-vous perdu votre chemin ? demandai-je.

— Ma foi... oui, dit-il en levant les yeux. Les poteaux indicateurs manquent, par ici et... Seigneur ! Une Anglaise !

— En vacances ?

Bouche bée, il me regardait avec stupeur.

— Non, j'habite par ici.

— Pas possible !

— Mais si. A San Matio.

Du doigt, je désignais le village.

— Eh bien ! qui croirait ça ? Au bout du monde... vous !

Il rit.

— Mon nom, c'est Alec. Alec Ferguson.

— Le mien, Janet Mingote.

— Mariée à un Espagnol ? Eh bien... Penser que vous vivez dans un village de montagne ! Vous aimez ça ?

J'évitai une réponse directe.

— Le pays est splendide. Aujourd'hui, avec tous ces nuages, vous ne le voyez pas sous son meilleur jour. Où allez-vous ?

— Barcelone. De là, je voudrais faire la côte à

pied. Si vous pouviez m'indiquer le village de San Martin ?

— J'y vais moi-même.

— Vrai ? Je ne voudrais pas vous infliger ma compagnie, mais si ça ne vous fait rien... Ce n'est pas loin, je pense ?

Il se leva, hissa son sac sur son épaule, puis sur son dos.

Ainsi nous partîmes ensemble vers San Martin, sans nous presser car il faisait chaud et le sac était lourd. Et puis, c'était la première fois que je voyais un Anglais, autre que Tony, depuis des mois, et cela me faisait plaisir. Poussiéreux, mal peigné, peu soigné après des journées de marche, il était tout cela mais peu m'importait. Jusque-là, je ne me considérais pas comme une patriote fanatique, mais converser avec un compatriote me comblait de joie. Le même pays offre autre chose que la même langue, il y a les habitudes, la façon de penser, l'attitude. Comme nous bavardions ! Le chemin de San Martin ne m'avait jamais paru aussi court. Il me parlait des pays qu'il avait vus, je posais des questions, de sottes petites questions sur les minces détails qui faisaient naguère ma vie quotidienne, les programmes de télévision, les faits-divers dans les journaux...

Des choses que je ne remarquais même pas jadis, que jamais je n'aurais pensé avoir à regretter. Et maintenant, écoutant les réponses de mon compagnon, j'aurais presque pleuré de joie tant je trouvais bon de me sentir de nouveau dans un monde familier.

— Vous êtes là depuis longtemps ? demanda-t-il.

— Cela me paraît une éternité !

Cela m'avait échappé. J'ajoutai :

— Seulement depuis le printemps.

Nous arrivions aux abords de San Martin, à un endroit où les tables d'un café étaient disposées sur le bord de la rue. Je ne me rappelle pas si je fus invitée à boire quelque chose : quoi qu'il en soit, je me retrouvai assise à l'une de ces tables, parlant encore, parlant, parlant, parlant. Je n'eus pas besoin de beaucoup d'encouragement pour décrire ma vie à San Matio, pour parler de la famille. Je n'avais pas l'intention d'en dire tant, mais les mots montaient à mes lèvres et je dépeignais la vieille maison pleine de vieux meubles, l'existence au milieu de toute une famille, mon beau-père, véritable patriarche.

— Ils ne pourraient être plus gentils, dis-je. C'est seulement que tout est si différent, et...

Je m'interrompis. Une voiture blanche suivait lentement la route. Je me rendis compte soudain que je l'avais déjà vue passer, sans y faire attention, un peu plus tôt. Je ne fis qu'entrevoir le visage du conducteur, mais cela suffisait.

Jaime !

Je posai mon verre. Toute ma joie s'évaporait. Je n'étais plus qu'une enfant surprise en pleine incartade.

— Etes-vous heureuse ici ? demandait Alec.

— Ou... i.

— Sûr ? Parce que, sans ça...

Des yeux gris-vert me regardaient avec anxiété. Le garçon tira de sa poche un petit bout de carton. C'était la moitié-retour d'un billet de chemin de fer.

— On peut acheter ça dans n'importe quelle gare, dit-il. La solution, madame Mingote, se trouve entre vos mains.

Il glissa le billet dans sa poche, se leva, remit son sac sur son dos et s'en alla.

Je restai immobile un moment. Derrière moi, j'entendais des voix. Des voix d'hommes. C'étaient toujours les hommes qui venaient discuter dans les cafés en buvant un verre. Les femmes n'y apparaissaient-elles jamais ? J'imaginais facilement la réponse de Don Felipe à cette question : seulement en compagnie de leur mari. Seules, ou avec un étranger, non. Jaime devait être ravi ! Il m'avait prise en flagrant délit de désobéissance à leurs règles de conduite. Le crime n'était pas grave, mais désormais, chaque fois qu'il me regarderait, je verrais une accusation dans ses yeux et je me sentirais coupable.

J'arrivai plus tard que de coutume chez Isabel. Je voulais lui parler du jeune Anglais, mais je n'y pensai plus en voyant ses mains : elles enfilaient une aiguillée de soie bleue et sur ses genoux je remarquais quelque chose de blanc. Une petite robe de bébé. Elle leva la tête mais ne me sourit pas et se remit à sa couture. J'avançai un siège.

— Ainsi... vous savez... ? murmurai-je.

— Teresa m'a dit. Mais je ne comprends pas.

Elle fixa sur moi des yeux pleins de reproche.

— Vous venez constamment ici, dit-elle. Vous savez que vous attendez un enfant depuis longtemps déjà. Je croyais que nous étions des amies, et pourtant, vous ne m'avez pas annoncé la nouvelle.

— Je le voulais, mais...

Comment lui expliquer ? Si elle aimait Ramon comme je le croyais, savoir que j'attendais un enfant de lui la ferait souffrir. C'est pour cela que je n'avais rien dit. Je cherchais des mots, mais Isabel, me regardant, lut la vérité dans mon regard. Elle hésita un instant, puis doucement, elle me prit la main.

— Je suis heureuse pour vous, dit-elle, comme elle me l'avait dit lors de notre première rencontre. Très heureuse.

Et je la savais sincère.

CHAPITRE IX

Je regagnai San Matio par le car de l'après-midi. A mon vif soulagement, la voiture de Jaime ne se trouvait pas devant la maison : il n'était pas rentré, ou il était ressorti. En tout cas, je ne le reverrais pas tout de suite. J'en fus contente. Je ne savais pas ce qu'il allait faire. Parler à Ramon ? J'en doutais : il ferait plutôt des allusions, n'ayant de sens que pour moi, un sourire entendu... Au diable, Jaime !

J'entrai sans bruit, et comme toujours, je me sentis enfermée dans la prison des siècles. Si jamais je devenais maîtresse de la maison Mingote, j'arracherais les tapisseries précieuses mais usées et je couvrirais les murs sombres du vestibule de couleurs. Beaucoup de couleur. De gais rideaux. Des fleurs. Je courus à l'escalier.

Don Felipe devait m'attendre. Je vis sa maigre silhouette et dans ses yeux, je lus un avertissement. Je m'arrêtai.

— J'espérais vous voir avant le retour de Ramon, me dit-il, de cette voix basse qu'il prenait quand il était irrité. Voulez-vous venir dans la bibliothèque, s'il vous plaît ?

Ainsi, mon cher beau-frère était allé voir son père. Je ne m'attendais pas à cela. Mêler Don Felipe à cette histoire ! Je ne trouvais pas de mot pour qualifier le cher Jaime.

Don Felipe m'ouvrit la porte et la tint après être entré dans la pièce. Je le suivis à contrecœur. Sombre en tout temps, la bibliothèque l'était encore plus aujourd'hui. Mon beau-père m'indiqua un fauteuil, mais je ne m'assis pas : je restai debout, la tête haute et les joues rouges, attendant. Don Felipe alla à la fenêtre, mais je suis sûre qu'il ne regardait rien. Que le diable emporte Jaime ! Mais pourquoi étais-je impressionnée par l'évidente réprobation de cet homme silencieux ? Je n'avais rien fait de mal. Il se retourna enfin.

— Je ne sais par où commencer ! dit-il. Peut-être aurais-je dû laisser Ramon vous parler, mais je ne voulais pas le tourmenter. Nos coutumes vous sont étrangères, je sais que votre situation n'est pas facile, mais...

— Oui ? dis-je comme il s'interrompait.

— Dans la montagne, nous vivons une existence que vous qualifieriez sans doute de retardataire. Les choses ont changé ces dernières années, mais nous nous conformons encore à... des traditions. Certaines choses sont permises. D'autres ne se font jamais. Comprenez-vous ?

Je ne répondis rien. Il me regarda et baissa les yeux. Il était aussi gêné que moi.

— Je sais que pour vous, tout est compliqué. Dans votre pays, on est, je crois, beaucoup plus libre. Même à Madrid, à Barcelone, les touristes ont introduit de nouvelles habitudes et les choses sont différentes. Mais ici, dans nos montagnes, nous vivons encore comme nos pères ont vécu, d'après certaines conventions. Vous comprenez ?

Je relevai le menton.

— Jaime m'a vue au café ?

— Oui.

— Je savais qu'il en ferait une histoire ! dis-je, indignée.

Dans ma colère, j'avais peine à parler. J'étais furieuse contre Jaime, furieuse contre son père qui essayait de rester poli.

— Si vous voulez tout savoir, j'étais avec un jeune Anglais que j'avais rencontré en chemin en allant à San Martin. J'ai bien vu la voiture de Jaime. Je pensais bien qu'il en ferait des gorges chaudes. Il ne m'était pas venu à l'idée qu'il vous en parlerait à vous.

— Il ne faut pas blâmer Jaime.

Il ne fallait jamais blâmer Jaime.

— Il a cru que vous ne compreniez pas nos coutumes, c'est pour cela qu'il est venu me trouver. Nous ne pensons qu'à votre réputation. Peut-être, à San Matio, sommes-nous démodés, mais une femme mariée n'entre jamais dans un café sans son mari ou un parent. Faire ce que vous avez fait aujourd'hui... C'est un vrai scandale !

— Des balivernes ! dis-je entre mes dents.

— Je sais que vous n'aviez pas de mauvaise intention, mais je vous demande de vous conformer à nos habitudes. C'est nécessaire.

Ce ton de directeur d'école m'agaçait à hurler.

— Je suppose que, malgré la liberté dont jouissent les Anglaises, il est certaines choses que votre premier mari n'aurait pas permises.

— Je n'avais pas de mari, alors c'était sans...

La vérité m'avait échappé involontairement.

Elle résonna dans la pièce comme un coup de fouet.
Don Felipe se raidit.

— Pas... de mari ?

Je secouai la tête.

— Mais votre fils... Antonio ?

J'aurais dû lui dire toute l'histoire, comme je
l'avais dite à Ramon. Sans doute n'aurait-il pas été
aussi compréhensif, mais du moins aurais-je pu
m'expliquer. Je ne le fis pas. Dans ses yeux, je
lisais la consternation. La condamnation. L'orgueil,
un stupide orgueil, me ferma la bouche.

— Ramon sait-il cela ? demanda-t-il.

— Oui.

Il se détourna. Je ne voyais plus son visage,
mais je savais, en face de ces épaules fléchies, que
mon aveu apportait le déshonneur à la famille
Mingote. Il ne me pardonnerait pas facilement cela.
Il ne pardonnerait pas à Ramon. J'attendis un instant, puis comme il ne disait rien, je me dirigeai
vers la porte. Comme je l'ouvrais, il parla.

— Ce que nous nous sommes dit aujourd'hui
doit rester entre nous, dit-il d'un ton glacial. Pour
notre bon renom, j'essaierai de penser que vous ne
m'avez rien dit.

Il s'assit et prit un livre.

Cacher quelque chose est comme patiner sur
une glace fragile. Cela comporte les mêmes dangers. La glace craque. Les apparences aussi. On ne
peut pas reprendre des paroles prononcées ou effacer un souvenir. J'avais dit à Don Felipe ce que
je ne voulais dire à personne. Maintenant, plus
jamais il ne nous regarderait, Tony ou moi, sans
se rappeler une phrase malheureuse. Et dans ses
yeux froids, je lirais l'accusation.

Comment continuer à vivre dans cette maison ?

Je restai un moment dans la petite pièce qui précédait la bibliothèque, cherchant à rassembler mes esprits. J'aimais Ramon à présent, mais cette maison qui était mon foyer, théoriquement le nôtre, n'était qu'un endroit où je dormais, où je me nourrissais et où je tuais le temps jour après jour. Un endroit qui appartenait à d'autres. Hier, Ramon me disait : « Quand le bébé sera là, tu auras de quoi t'occuper. » Ne comprenait-il pas ? Il y aurait trop de mains désireuses de le prendre, de l'habiller, de le nourrir. Mon enfant ne serait pas à moi tant que j'habiterais cette maison.

Si seulement nous en avions une à nous ! Même cette petite maison décrépite, sur la route de San Martin. Une maison à nous. Seulement à nous. Et pourquoi pas ? Toute la famille réunie sous le même toit n'était qu'une coutume antique. Si Ramon m'aimait et voulait me garder, il trouverait moyen de rompre la tradition.

Je regardais par la fenêtre, sans rien voir. Soudain, mes yeux se fixèrent sur Ramon qui rentrait, son sac noir à la main : il achevait sa tournée. C'était le moment de lui parler.

Je courus vers le vestibule. Au moment où j'arrivais à la porte, Tony sortit de la cuisine, ses mains serrant un pain fraîchement cuit. Matilde qui le trouvait trop maigre le tentait continuellement pour éveiller son appétit.

— M'man, tu as promis de me montrer...

— Pas maintenant, dis-je vivement, ne me rappelant pas ce que j'avais promis. Plus tard.

— Mais, M'man...

— Plus tard ! répétai-je.

A la vue de son petit visage déçu, je l'embrassai. Je promis :

— Je n'en ai pas pour longtemps.

Je devais me reprocher amèrement d'avoir déçu mon fils.

Ramon s'éloignait quand je sortis sur la *plaza*. Je courus après lui. Il m'entendit et se retourna.

— Je te croyais encore à San Martin, dit-il. Je viens d'apprendre que la sœur de Rodrigo est malade, et...

— Ramon, il faut que je te parle. Je t'en prie..., ajoutai-je, le voyant prêt à protester.

Ramon m'écouta attentivement. A ma demande, nous avions quitté le village pour nous approcher de la rivière. De là, nous pouvions voir la maison décrépite. J'essayai d'expliquer : c'était, semblait-il, une si petite chose à demander, un foyer personnel, et pourtant, rien qu'à son expression, je comprenais que je m'attaquais à une chose fondamentale.

— Janet, me dit-il doucement, tu dois le comprendre ! Ce que tu me demandes est impossible !

— Pourquoi ? Parce qu'il est de tradition dans ta famille que le fils aîné habite avec son père ?

Malgré moi, ma voix trahissait mon amertume.

— Réveille-toi, Ramon ! Nous sommes au vingtième siècle ! Ce mot de « tradition » me rend malade ! J'ai essayé de me conformer à vos habitudes, Dieu sait, mais... Tu ne me feras pas croire qu'en Espagne les fils vivent toujours chez leur père !

— Non, mais c'est plus fréquent que dans ton pays. Comme tu le sais, dans notre famille...

— Votre famille ! Votre famille ! Toujours les Mingote !

L'amertume tournait en colère.

— S'il ne s'agit pas d'une coutume universelle, pourquoi serions-nous pénalisés ?

Il parut blessé.

— Nous sommes heureux de vivre tous ensemble, dit-il. Dans ton pays, les vieillards sont souvent mis dans des maisons de retraite : je trouve cela cruel. Vos parentes non mariées... on dit qu'elles vivent seules dans leur petit logement... Est-ce là une bonne chose ? Dans la maison Mingote, il y a toujours une place pour ceux qui sont seuls ou dans le besoin. N'est-ce pas là le rôle d'une famille ?

Que pouvais-je répondre ?

— Je comprends bien que c'est difficile pour toi, mais quand l'enfant sera né...

Il me releva le menton et sa bouche effleura mes lèvres.

— Tu t'adapteras, acheva-t-il.

J'avais les yeux pleins de larmes. Je ne voyais presque plus la petite maison.

— Si nous habitions là, nous serions près d'eux.

— Mon père n'aimerait pas cela, et...

Troublé, il me regarda.

— Cela me désole de te voir malheureuse... Ecoute, je suis pressé en ce moment. Nous reparlerons de cela plus tard. Oui?

Nous en reparlerions et la réponse serait la même. La tradition et la volonté de son père primaient tout, et en se disant « plus tard », Ramon espérait que je m'habituerais à leur manière de vivre. Lentement, je regagnai la maison. Avec le temps, je m'adapterais, pensait Ramon. C'est ce qu'ils disaient tous, carrément ou par allusions depuis mon arrivée.

M'adapter.

Il semblait que je n'avais guère le choix. J'avais appris leur langue... Apprendre leurs coutumes était moins facile, mais je le ferais parce qu'il le fallait. Avec le temps, j'irais peut-être jusqu'à me faire au manque d'intimité. Mais je ne m'habituerais jamais à l'ironie des yeux de Jaime. Quant à Don Felipe... De mauvaise grâce, j'avais fini par respecter le père tyrannique et austère de mon mari.

Je m'attristais à l'idée que désormais il ne me respecterait plus.

Avec lassitude, je rentrai dans la maison. Tony... je lui avais promis quelque chose. Matilde vint à ma rencontre, une lettre à la main.

— Cela vient d'arriver, señora, dit-elle.

Je pris la lettre et je poussai une exclamation de surprise.

C'était une lettre de Max.

*
* *

En plusieurs mois, Max ne m'avait écrit qu'une fois : une lettre d'affaire en rapport avec l'hôtel. J'avais répondu sur le même ton. Depuis, c'était le silence.

Et voici qu'arrivait une seconde lettre, imprévue.

J'attendis pour l'ouvrir d'être entrée dans la chambre du fils aîné, ainsi que je l'appelais. Assise au bord du lit, je regardai l'écriture irrégulière de

mon cousin, une écriture incroyable pour un ex-
directeur d'école. Je retournai l'enveloppe, sachant
ce que je verrais au verso : un motif ornemental,
formé par les initiales de l'hôtel, et qui était gravé
sur tout le papier à lettre de tante May.

Une foule de souvenirs me revint à l'esprit. Je
m'étais servi si souvent d'enveloppes semblables,
j'avais vu ce motif reproduit sur le linge, la vaisselle, sur tout ce que je touchais. Et il était toujours là. Je me revis à la réception. Je respirais
l'odeur familière de la mer et du varech. Instinctivement, je tendis la main vers le téléphone.

Bien sûr, il n'y avait pas de téléphone dans la
chambre du fils aîné. Maintenant, Max occupait ma
place à la réception, à moins que ce ne fût Joyce.

Avec colère, je déchirai l'enveloppe. Surprise,
je vis que c'était une longue lettre. Max ne savait
pas taper à la machine et les feuilles étaient cou-
vertes de sa vilaine écriture. Je m'approchai de la
fenêtre pour mieux voir et je lus.

« *Voici une lettre que je ne m'attendais pas à
t'écrire. Pour être franc, Janet, je ne sais trop par
où commencer. Il s'agit d'une bonne nouvelle pour
toi, comme dit le notaire, mais pour nous... Crois-
moi, nous sommes à moitié fous d'angoisse. Joyce
n'en dort plus. Moi non plus.* »

Intriguée, je relus ce premier paragraphe. Max
avait-il trop bu ? Je ne comprenais rien. J'allai chercher un fauteuil et je m'assis. Je parcourus encore
quelques phrases vagues, pour en arriver enfin à
l'important.

« *Comme tu le sais, nous avons cru que tante
May t'avait traitée injustement, après que tu te sois
occupée d'elle et de l'hôtel pendant toutes ces
années, en ne prenant même pas la peine de refaire*

un testament. C'est au moins ce que nous pensions. »

« Seulement, ce nouveau testament, elle l'avait rédigé. C'est ce que je viens te dire, Janet. On vient de le découvrir. Tu peux imaginer l'état dans lequel nous sommes ! Ce n'est pas que nous te refusions une partie de l'affaire... mais dans ce testament, tante May te laisse tout. Tout, absolument tout, t'appartient ! »

La lettre tomba sur mes genoux. Ma vue s'obscurcissait, la chambre me semblait pleine de brouillard. Un testament ! Après mes vaines recherches, ces jours de désespoir... et tout était à moi, ainsi que tante May me l'avait promis !

Je repris la lettre, je me remis à lire, très vite, et il me semblait vivre avec Max les tourments de ces derniers jours. Pauvre Max ! Oui, maintenant, je pouvais avoir pitié de lui. Je connaissais la torture de perdre une chose qu'on croyait devoir vous appartenir. Il avait abandonné sa situation, son logis, tout, pour commencer une nouvelle existence en tant que propriétaire d'un hôtel. « Un rêve réalisé ! » disait Joyce, le jour de l'enterrement de tante May. Et voilà qu'ils découvraient que l'hôtel n'était pas à eux, mais à moi !

A moi ?

J'avais les mains brûlantes et moites. J'ouvris la fenêtre. Les nuages étaient si bas sur les montagnes que la pente, derrière la maison, disparaissait dans une grisaille fumeuse. Essayant de reprendre le contrôle de ma pensée, je relus la lettre.

Le testament aurait pu demeurer caché à jamais si Max n'avait pas voulu vendre le secrétaire de tante May. C'est une chose que je n'aurais jamais faite. Tante May était si fière de son secrétaire : c'était un meuble ancien que lui avait offert le capi-

taine dont, finalement, elle avait hérité l'hôtel. Elle
y enfermait tous ses papiers personnels. Max avait
dû en trouver un bon prix. Or, il y a une quinzaine
de jours, l'antiquaire de Londres devenu propriétaire du meuble, avait envoyé son notaire à l'hôtel.
Cet homme annonça à Max qu'en effectuant une
petite réparation au secrétaire, un ouvrier avait
découvert le testament, qui évidemment annulait la
vente, glissé derrière un des tiroirs.

Oui, j'imaginais facilement l'angoisse de mon
cousin. Son rêve anéanti comme l'avait été le mien.
M'aurait-il fait part de la découverte, me demandai-je, si les circonstances lui avaient permis de me
cacher la vérité ? Mais c'était peut-être là un juge-
ment téméraire.

« *Tu voudras certainement prendre un avis
autorisé, mais pour l'amour de Dieu, rappelle-toi
que je n'ai plus de logis, plus d'emploi. Peut-être
pourrions-nous nous arranger ? Peut-être pourrais-
je gérer l'hôtel pour toi, et...* »

Il y avait de quoi rire. N'avais-je pas, désespérément, demandé la même chose ? Nos positions
respectives s'inversaient et Max, maintenant, m'adressait la prière, puisque, chose incroyable, l'hôtel
était à moi !

Mais alors, pourquoi pleurais-je ?

— Je suis contente ! me répétais-je. Contente !

Contente, non seulement parce que l'héritage
me revenait, mais parce que tante May avait été
fidèle à sa promesse. Cela, surtout, me rendait
heureuse. Sur le moment, je m'étais efforcée de ne
pas lui en vouloir, mais son apparente injustice
m'avait fait mal. Une enveloppe glissant derrière un
tiroir... A cause de cela, j'étais ici, dans ce village

perdu de la montagne qu'en Angleterre je n'avais même pas trouvé sur une carte !

Et si l'enveloppe n'avait pas glissé ? Si je l'avais trouvée dans la boîte noire ? Ramon m'aurait certainement demandé d'être sa femme.

Qu'aurais-je répondu ?

J'aurais été flattée, mais pas un seul instant je n'aurais examiné sérieusement la question. J'avais épousé Ramon pour être en sécurité. Pour Tony. Et maintenant ?...

« La solution est entre vos mains, madame Mingote... », m'avait dit le jeune Anglais. Certes, je n'avais qu'à prendre un billet à la gare la plus proche, et vingt-quatre heures plus tard, je serais de retour à l'hôtel. Mon hôtel !

Seulement je ne pouvais pas faire cela, à cause de Ramon. Et Tony était heureux à San Matio si je ne l'étais pas.

Tony !

Dans l'agitation de cet après-midi fertile en événements, j'avais oublié Tony. Il m'attendait. Je lui avais promis quelque chose... et soudain, je me rappelai. Hier, il me parlait du vieil Arturo, le berger. Arturo, semblait-il, était musicien et habile de ses mains et pendant les longues heures qu'il passait dans la montagne avec son troupeau, il sculptait des flûtes. Il en avait promis une à Tony. Il était donc convenu qu'aujourdhui, j'emmènerais l'enfant dans les prés au-dessus de San Matio, là où Arturo gardait les moutons.

J'avais oublié.

Aussitôt, je cherchai Tony. Il n'était pas dans sa chambre. Je ne le voyais pas sur la *plaza*. J'allai à la cuisine : Matilde jeta sur moi un regard plein de reproche.

— Oui, señora, il vous a attendue, mais quand vous êtes partie en toute hâte...

Elle s'interrompit brusquement.

— Señora, ne vous sentez-vous pas bien ?

— Ce n'est rien. Où est Tony ?

— J'étais occupée, alors, son oncle l'a emmené.

— Pour voir le berger ?

— Oui. Ce soir, nous aurons de la musique ! Le petit señorito a promis de nous distraire avec la flûte qu'Arturo va lui donner. Mais vous avez l'air fatiguée, señora, ajouta Matilde anxieuse. Puis-je faire quelque chose pour vous ?

— J'ai la migraine, dis-je.

J'allai m'asseoir dans le patio. Oui, j'étais fatiguée. C'était l'endroit que je préférais : le seul où il y avait des fleurs, un peu de couleur.

Un très petit patio, toujours silencieux, à part le murmure du filet d'eau qui coulait d'une petite fontaine dans un bassin, donnant une agréable impression de fraîcheur. C'était le domaine de tante Agustina : elle soignait amoureusement les plantes, leur parlait comme à des enfants. Il n'y en avait pas beaucoup dans un si petit espace, seulement quelques pots de verdure rampante, de géraniums et de bégonias. C'était ce qui ressemblait le plus à un jardin dans tout San Matio et j'aimais m'y tenir. Aujourd'hui, je l'avais tout pour moi, avec pour seule compagnie les canaris de tante Maria, qu'on avait apportés là pour les changer d'horizons, et qui voletant dans leur cage accompagnaient de leurs pépiements le chant de la fontaine.

Je contemplai les oiseaux enfermés. Les pauvres ! Ils agitaient leurs ailes, mais n'allaient pas au-delà du perchoir voisin. Tout une existence en cage... N'était-ce pas la mienne ? Ma cage, cette maison.

Les barreaux qui me séparaient du monde : le devoir et l'affection.

Je fermai les yeux et j'essayai de dormir. Je voulais chasser les souvenirs et les images de ce-qui aurait-pu-être... les yeux sévères de Don Felipe... La petite maison dont j'aurais voulu faire mon foyer... Max et l'hôtel. Oui, je voulais oublier l'hôtel. Demain, je répondrais à Max. Je ne pouvais pas renoncer à l'héritage de tante May, c'était l'héritage de Tony autant que le mien. Il me faudrait consulter un notaire.

Une porte claqua et j'entendis des voix. J'ouvris les yeux. C'était l'oncle Jorge : je ne savais pas à qui il s'adressait mais j'entendais les paroles.

— Il n'est pas rentré ? Vous n'avez pas vu le petit Antonio ? Mais alors... où est-il ? Où cela ?

J'avais bondi sur mes pieds avant même qu'il eût fini de parler. Quand j'entrai dans le vestibule, le silence tomba. Mon regard alla d'un visage anxieux à l'autre. Oncle Jorge tordait son béret entre ses mains. Les tantes étaient là. Doña Teresa répétait :

— Qu'est-il arrivé ? Dites-le-moi !

Matilde était sortie de sa cuisine et je savais que Don Felipe se tenait dans l'escalier.

Personne ne parlait. Je demandai :

— Où est Tony ?

Oncle Jorge frotta son béret sur son front : des gouttes de sueur lui tombaient dans les yeux, prouvant qu'il était venu en courant. Il ouvrit la bouche, mais nul son n'en sortit.

— Que s'est-il passé ? demandai-je avec angoisse. Où est Tony ?

— Il... il a disparu..., articula péniblement oncle Jorge. C'est pour cela que je suis revenu... Je pensais qu'il était peut-être rentré de son côté.

— Vous voulez dire... Oh ! Non... !

Tout à coup, je comprenais.

— Il s'est perdu ? Dans la montagne ?

Alors ils parlèrent tous à la fois. Je fus prise de nausées et un instant je n'entendis qu'un murmure confus. Avec peine je demeurai consciente. J'entendis, comme venant de très loin, la voix de Don Felipe qui voulait savoir exactement ce qui s'était passé, puis oncle Jorge répondit qu'il avait emmené Tony pour voir Arturo, le berger.

— Il avait une telle envie de sa flûte... je vous ai vue préoccupée, Janet, alors... je... je l'ai emmené.

Je méritais le reproche implicite. Il continua, expliqua que dans la montagne, ils n'avaient pas trouvé le berger.

— Il ne faisait pas bon, là-haut. J'ai dit au jeune Antonio que nous reviendrions une autre fois ; les nuages étaient très bas : vous pouvez voir vous-même... puis quand nous sommes passés devant la cabane de Juan, je me suis arrêté un instant pour lui parler. Pas longtemps... je croyais que le petit attendait dehors... mais quand je suis ressorti, il n'était plus là. Et les nuages avaient encore baissé.

La porte s'ouvrit et nous nous tournâmes tous de ce côté, mais ce n'était pas Tony. Ramon entra et posa son sac : un villageois, sachant ce qui se passait par oncle Jorge, l'avait mis au courant. Il demanda :

— Quand est-ce arrivé ?

— Il y a une demi-heure, pas davantage. Je ne me pardonne pas...

L'oncle, bouleversé, se tournait vers moi. Que pouvais-je dire ? J'étais bien plus à blâmer que lui car j'avais oublié ma promesse. Le pauvre homme s'essuyait les yeux.

— J'ai appelé... appelé... ne recevant pas de réponse, je suis revenu. J'espérais qu'il était rentré. Il doit être là-haut. Je n'ai pas pu le voir, avec la brume, vous comprenez ?

Ramon et son père échangèrent un regard anxieux.

— J'espère que l'enfant aura suffisamment de bon sens pour ne pas s'éloigner, dit Don Felipe.

— Un groupe d'hommes attend dehors, dit Ramon. Ils vont aider aux recherches.

Déjà, il se préparait à partir.

— Je viens, dis-je.

— Je t'en prie, Janet... Laisse-nous cela.

— Mais, je...

— Emmenez-la, dit Don Felipe. Il est naturel qu'elle soit angoissée.

Don Felipe ne me regardait pas.

**
**

Les femmes restèrent en arrière tandis que les hommes, armés de solides bâtons, parcouraient les pentes de la montagne. J'accompagnai les hommes. Quatre ou cinq paysans se joignirent à nous.

Les nuages pesaient sur San Matio : on ne voyait plus les crêtes. Un banc tournoyant de vapeur grise enveloppait tout. Je ne pris pas le temps de chercher un manteau : Ramon jeta l'imperméable de son père sur mes épaules. Par la suite, je fus heureuse d'être ainsi protégée.

— Tout ira bien, me répétait mon mari.

Mais ce n'étaient là que des mots. Regardant la montagne coiffée de brume, j'imaginais Tony là-haut, ne voyant rien, pleurant, trébuchant peut-être

au bord d'un ravin. Et c'était ma faute. Ayant fait
une promesse, j'aurais dû la tenir. Je pensais tout
à coup que je le laissais trop libre. Il était habitué à
sortir sans moi pour la simple raison que naguère,
j'étais obligée de rester à l'hôtel. Comment aurais-je
pu prévoir une chose pareille ?

Oncle Jorge montrait le chemin. Les hommes
suivaient en file indienne, sauf Ramon qui s'arrêtait
souvent pour me tendre la main. Je connaissais ce
sentier pour l'avoir souvent parcouru, mais jamais
par un temps pareil, jamais à une telle allure. Le
sol était inégal, semé de grosses pierres, séparant
des terrasses cultivées. Puis les cultures cessèrent :
nous arrivions à la prairie, laissant San Matio bien
loin derrière nous. Là, pour la première fois, je
sentis l'humidité des nuages : une écharpe de
brume passa rapidement et disparut.

Les hommes s'arrêtèrent.

Ils parlaient à Arturo, un berger de livre d'images, toujours entouré de ses moutons. Il leur avait
donné des noms à tous et les appelait par ces noms.
Je le vis secouer la tête et regarder avec inquiétude
les pentes embrumées. Il fouilla dans sa poche, en
tira une flûte ornée de sculptures compliquées, sa
spécialité, et la mit dans ma main.

— Pour votre fils, señora, dit-il.

Nous nous arrêtâmes de nouveau près d'une
petite cabane : la demeure de Juan.

— C'est là qu'il était, dit l'oncle Jorge. Je suis
entré cinq minutes... pas plus, je crois... Il s'était
assis sur ce banc. Ramon, dis-moi... que faut-il
faire ?

Ils parlèrent tous à voix basse, d'un ton pressant. Ramon revint à moi. Ils avaient décidé de se
séparer.

— Il ne peut être loin.

Ramon se faisait-il des illusions ou cherchait-il à me rassurer ?

— Il faut seulement découvrir quel chemin il a pris. Je regrette que tu ne sois pas restée à la maison. Pourquoi n'attendrais-tu pas ici, dans la cabane de Juan ?

— Tony est mon fils.

— Et tu portes notre enfant, ne l'oublie pas. Mais... oui, je comprends.

Il se tourna vers son père. Celui-ci ne m'avait pas adresse directement la parole.

— Janet et moi prendrons le chemin d'Alvez.

Je me souviendrai toujours de chaque pas de cette marche de cauchemar. Je me rappellerai la brume qui allait et venait sans cesse de sorte qu'à un moment, on ne distinguait rien, et un instant plus tard la visibilité revenait. Sauf, bien sûr, que maintenant le soir tombait rapidement. Je me souviens de l'écho sinistre des voix : fréquemment, Ramon et moi nous arrêtions pour appeler ensemble : « Tony ! Tony ! » Nous attendions et nous percevions, comme en écho, d'autres appels, ceux de Don Felipe, d'oncle Jorge, des villageois : « Antonio ! Antonio ! »

A Alvez, nous étions presque dans les nuages. Etait-ce bien là que nous avions pique-niqué sous le ciel bleu ? L'endroit était effrayant ce jour-là : maintenant, dans ces conditions, il me terrifiait. Les grands rochers émergeaient de la brume comme les traits du visage lunaire. Aux cris de « Tony ! Tony ! » répondait l'écho : « Antonio... ! »

J'avais les cheveux mouillés, des gouttes d'eau coulaient sur mon front et sur la cape qui couvrait mes épaules.

— Prends garde ! me dit Ramon comme j'avançais.

Le Roc du Diable sortait du brouillard gris. Alvez...

Alvez, le lieu sacré. Je me mis à prier au plus profond de mon cœur. « Mon Dieu, je vous en prie !... je vous en prie... ! Je vous en supplie... ! » Toujours les appels, parfois lointains, parfois proches. « Antonio ! » Parfois la voix de Don Felipe, parfois celle d'oncle Jorge.

Leur désespoir était aussi grand que le mien.

Soudain, du ciel, descendit un aveuglant éclair. Une seconde ou deux plus tard, un coup de tonnerre. Il se répercuta dans la montagne, répété par les échos, de sorte que le bruit revenait sur lui-même. Je me mis à trembler. Nous courions sur le plateau : il fallait retrouver Tony très vite. Encore des éclairs, encore le tonnerre. Puis les premières gouttes de pluie, non pas la petite pluie habituelle en Angleterre, mais une pluie torrentielle. Le ciel était si noir qu'on se serait cru en pleine nuit. Ramon tenait ma main et nous allions d'un rocher à l'autre, appelant Tony, nos voix dominant le tumulte du tonnerre et de la pluie.

Tout à coup, Ramon s'arrêta. Une voix était toute proche, celle de Don Felipe, et il n'appelait pas Tony : il appelait Janet.

— Viens ! dit Ramon.

A l'aveuglette, nous traversâmes le plateau, courant dans la direction d'où venait la voix. Les nuages, comme des balles de coton gris, dérivaient dans le vent devant nous.

Devant la chapelle, je vis la haute silhouette de Don Felipe appuyé sur son bâton. Il nous attendait.

— Là, dit-il en tendant une main.

En haut des trois marches qui conduisaient au porche du petit sanctuaire, je vis la forme accroupie. Je tombai à genoux à côté. Tony dormait. Il n'avait pas de mal, il était simplement endormi. Incroyable. Les éclairs, le tonnerre, la pluie... et il dormait.

— Janet...

Pour la première fois, Don Felipe me parlait à moi.

— Je crois que nous pouvons remercier Dieu. C'est un miracle.

— Un miracle ! répéta Ramon en faisant le signe de la croix.

Instinctivement, je l'imitai, puis je me penchai en murmurant :

— Tony !

CHAPITRE X

Entre eux, ils rapportèrent Tony à la maison, Don Felipe, oncle Jorge et Ramon. Ramon d'abord le hissa sur son épaule, puis son père insista pour le relayer. Je marchais à côté d'eux. Parfois, je prenais la main de Tony.

— Prends garde ! me dit Ramon lorsque une fois je chancelai.

Je marchais toujours, osant à peine quitter Tony des yeux, de peur qu'il ne disparaisse encore. La pluie diluvienne formait un rideau à travers lequel on distinguait à peine le chemin à suivre. A part cela, on ne voyait rien. La pluie coulant sur le sol desséché devenait un ruisseau boueux qui dévalait la pente.

Nous marchions vite en dépit du chemin difficile. Ramon avait retiré son manteau pour le mettre sur les épaules de Tony. La pluie ruisselait de ma cape imperméable sur mes jambes, ma robe était trempée, mes chaussures pleines d'eau. Les hommes, sans rien pour les abriter, étaient encore en plus mauvaise condition. Jamais je n'avais vu la pluie tomber avec une force pareille. Les éclairs se

succédaient, le tonnerre rebondissait d'une montagne à l'autre.

— Pleut-il souvent comme cela ? demandai-je
comme nous nous arrêtions un instant pour que
Tony fût transporté sur une nouvelle épaule.

— L'orage passera aussi vite qu'il est venu, dit
Ramon en essuyant son visage mouillé.

Enfin une dernière pente nous amena au village.
La pluie avait vidé les rues et, contre sa violence, les
portes ouvertes d'habitude s'étaient fermées. Le village semblait désert. Ramon remercia les hommes
de leur aide : ils rentrèrent chez eux et nous traversâmes la *plaza*.

Doña Teresa et les tantes attendaient dans l'angoisse. Ce fut Matilde qui prit Tony des bras de Don
Felipe.

— Mon tout petit ! modulait-elle à mi-voix. Si
trempé ! Si gelé ! (Elle se tourna vers moi.) J'ai
préparé un bain chaud. Nous allons le mettre dedans,
puis le coucher, avant même que vous ayez eu le
temps de retirer vos vêtements mouillés !

Vingt minutes plus tard, Tony, le regard vif,
était assis dans son lit, n'ayant, apparemment, nul-
lement pâti de son aventure. Il était enchanté d'être
le pôle d'attraction. Doña Teresa lui avait apporté
son dîner sur un plateau et il buvait, avec délices,
un bol de bouillon.

— N'as-tu pas eu peur ? lui demanda tante
Maria.

Il parut étonné par la question.

— Non. Je savais bien que *Tio* Jorge me trouverait.

Ce fut un soulagement pour moi quand les
tantes me laissèrent Tony. Parfois, il me semblait
que mon fils n'était plus à moi : les Mingote l'avaient

adopté. « Le joli Blond »... « Le petit ange... » des termes ridicules à mon avis, mais j'entendais les mères de San Matio appeler leurs enfants de façon similaire. Et Tony n'en paraissait pas agacé. Je n'aurais jamais cru que le fils de Peter s'adapterait aussi vite à la langue et aux habitudes du pays de Ramon. Maintenant, on parlait beaucoup de l'école : il était convenu qu'après Noël, l'enfant serait conduit chaque jour à San Martin, dans un collège dirigé par des religieux.

Comme je me penchais sur son lit pour le border, il toucha mes cheveux mouillés.

— Je suis désolé que tu aies été trempée, dit-il.

— Ne recommence pas à te perdre ! Jamais !

Je mis ma joue contre la sienne.

— Oh ! Tony ! Si seulement je pouvais m'habituer comme toi !

Il me regarda sans comprendre.

— T'habituer ? Comment ça ?

Ses yeux bleus, dans son visage bronzé, me regardaient avec anxiété.

— Peut-être que ce sera comme ça quand mon frère sera né. Tu ne crois pas ?

— Qui te fait penser cela ? demandai-je en riant.

— Tante Maria. Doña Teresa. Oh... ! tous. Matilde aussi. Ils disent tous que tu as besoin du bébé. Ensuite, tu seras l'une de nous.

Je relevai brusquement la tête.

— Que veux-tu dire exactement par « *nous* » ?

Les yeux bleus s'agrandirent.

— Je ne sais pas. Mais c'est ce qu'ils disent.

J'étais partagée entre l'amusement et la colère. Comme un perroquet, Tony répétait ce qu'il entendait. En disant ce « nous », il se mêlait à ma nou-

velle famille. Et pourquoi ferais-je retomber sur
lui mon agacement ? Il ne savait pas ce qu'impli-
quaient ces paroles. Je l'embrassai, et je regagnai
ma chambre.

Hésitante, je restai devant la fenêtre. Ainsi,
toutes mes tentatives d'adaptation n'avaient pas
trompé la famille Mingote. Ils me savaient étrangère encore en pays étranger. Et Ramon ? Se ren-
dait-il compte, lui aussi, que je n'étais pas vraiment
des leurs ? Craignait-il que je ne le sois jamais ? Ou
était-ce une chose que les autres se murmuraient
entre eux ?

De mon sac à main, je tirai la lettre de Max. Je
la savais par cœur déjà, je n'avais pas besoin de la
relire. « *Tout... absolument tout t'appartient...* »
Cinq mots qui pouvaient, si je le voulais, modifier
toute ma vie. Sauf que maintenant j'aimais Ramon.
Sauf que j'attendais son enfant. Chose étrange, ces
cinq mots si brefs m'offraient la possibilité de fuir
tout ce que je trouvais si dur à accepter.

Ramon entra. Je remis précipitamment la lettre
dans mon sac.

— Janet...

Il avait pris le ton qu'on emploie quand on
s'adresse à un enfant révolté. Je ne bougeai pas. Il
tendit les bras et doucement m'attira contre lui. A
ce contact, je sentis les tensions de cette journée se
fondre en un flot d'émotion. Il me souleva et me
serra sur son cœur.

— Je suis désolé, dit-il.

Il ne dit pas s'il parlait de l'escapade de Tony,
ou de la petite maison que je désirais et ne pouvais
avoir, mais avec ses lèvres dans mes cheveux et ses
mains me caressant, il répétait :

— Je suis désolé. Tellement désolé.

Je n'osai pas lui parler de la lettre de Max. Pas encore. S'il se doutait que je me languissais encore du monde qui s'étendait au-delà de ses montagnes, il me dirait peut-être de partir.

Il ne me retiendrait jamais dans un mariage accepté en un moment de désespoir.

Il plut toute la nuit. Comme il plut ! Lourdement, inexorablement. Il semblait que le ciel se fût ouvert et que la pluie tombât comme un intarissable torrent. L'orage avait passé : on n'entendait plus que de temps en temps un lointain roulement se répercuter dans les montagnes. Mais la pluie ne s'arrêtait pas. Elle cinglait les fenêtres. Elle tombait avec frénésie, sans discontinuer.

Je dormis peu. Une ou deux fois, je me levai et j'allai voir où en était Tony. Il dormait profondément.

Le lendemain, samedi, la pluie tombait toujours. La vie normale de San Matio s'interrompit. Jamais je n'avais vu la *plaza* déserte aussi longtemps de suite. Les gens ne se risquaient dehors que s'ils y étaient obligés et les femmes ne s'assemblaient plus pour bavarder autour de la fontaine. Avec des manteaux sur la tête, elles se hâtaient avec leurs cruches et leurs seaux, les remplissaient aussi vite que possible et repartaient en courant pour se mettre à l'abri. Julio, le laitier, et Tomas, le boulanger, ne se ressemblaient plus, tout emmitouflés dans une étrange collection de vêtements de pluie. Don Felipe fit sa tournée d'inspection habituelle avec Rodrigo, mais quand il sortit, il était si extraordinairement habillé que j'hésitai à le reconnaître.

La journée fut interminable. Personne ne vint à l'infirmerie de Ramon mais il avait sa tournée de visites à faire.

— Je me demande comment je parviendrai chez
Carlos, dit-il en mettant des bottes solides. Il habite
au-delà de la plus haute prairie et le chemin pour
y arriver est sûrement impraticable.

Il partit tout de même, regardant avec un peu
d'anxiété les nuages chargés de pluie. Restée seule,
j'essayai de m'occuper mais ce fut en vain. Je ne
m'étais pas rendu compte de tout le temps que je
passais dehors : maintenant, les heures se traînaient.
Sous cette pluie, il n'était pas question de sortir
sans y être obligé.

Ce sera comme cela tout l'hiver ! pensai-je avec
effroi. Impossible d'échapper à la famille : dans toutes les pièces où j'entrais, il y avait déjà quelqu'un.
Les tantes cousaient dans le salon, Don Felipe, au
retour de sa visite au domaine, s'enferma dans la
bibliothèque ; Doña Teresa rangeait le linge. Oncle
Jorge errait dans toute la maison et Jaime s'était
installé dans la salle à manger avec une pile de
magazines américains.

Des gens partout ! Peut-être était-ce dû à la
pluie, ou au fait que nous étions tous enfermés,
mais tout le monde avait l'air à cran. Tony s'ennuyait. Je lui lus un livre anglais que j'avais apporté,
puis je lui donnai une leçon d'espagnol, une leçon
de dessin. Il essaya de jouer un air sur la flûte d'Arturo, mais n'y parvenant pas, il accusa l'instrument
et non son ignorance.

— Tu ne peux pas en jouer non plus ! dit-il.
Elle ne vaut rien. Il faudra aller en chercher une
autre.

— Pas aujourd'hui ! ripostai-je.

Il plut tout l'après-midi.

— Est-ce souvent comme cela ? demandai-je à
Ramon qui revenait, ruisselant, de son expédition.

— Dans ton pays, il pleut aussi, me rappela-t-il. Mais ici, la saison des pluies est plus courte.

— On croirait que cela durera toujours !

— Souviens-toi des jours de soleil ! conseilla mon mari.

Il plut toute la soirée. A présent, les gens qui avaient été obligés de sortir revenaient en parlant d'inondations. La rivière atteignait le niveau du pont, et en aval, là où une autre rivière s'y joignait, les champs étaient sous l'eau.

— Vous souvenez-vous de l'automne, il y a cinq ans ? demanda oncle Jorge, comme nous prenions nos places à table pour dîner. Il a plu comme cela pendant une semaine.

Une semaine ! Un jour de plus, avec cette pluie frappant les fenêtres fermées, un jour de plus dans cette inaction, et je sentais que je deviendrais folle. Les autres semblaient considérer cela comme un phénomène naturel.

— L'été avait été sec, je m'en souviens, dit Doña Teresa, et nous n'avions presque pas eu d'eau au printemps. Il y a eu un déluge en octobre. Oui, je me rappelle.

Jaime parut inquiet à l'idée d'être enfermé dans la maison plusieurs jours de suite.

— J'ai à faire à Madrid, marmonna-t-il, plus pour lui-même que pour les autres. Je pensais partir... En ville, la pluie est moins gênante. Demain, peut-être...

Demain !

Il ne se doutait pas, pas plus que nous, de ce qui se passerait avant demain.

Il pleuvait encore quand nous nous couchâmes. Comme la nuit précédente, je dormis mal. De nou-veau, je me tournai et me retournai, écoutant l'averse,

incapable de cesser de penser aux événements des
deux derniers jours. Cette lettre que je devais écrire
à Max... Je ne sais combien de fois j'avais réfléchi
aux termes que j'emploierais, mais les mots ne
venaient pas. Et puis, qu'importaient un jour ou
deux de plus ? Ils ne s'étaient guère souciés de moi,
surtout Joyce, alors... Pourquoi me précipiter pour
les délivrer de leur angoisse ?

Entre-temps, j'aimais penser à *mon* hôtel. Un
refuge... Seulement, maintenant, ma vie était ici.
Cette chambre que j'exécrais. Cet homme que j'aimais. Et l'enfant.

Tournant sur le côté, je m'entourai de mes bras,
comme si j'entourais l'enfant en moi. Et glissant
enfin dans le sommeil, le dernier bruit que j'entendis fut le battement de la pluie contre les volets.

Aux petites heures de la nuit, cela se produisit.

Ce fut d'une terrifiante soudaineté.

A quatre heures. Je ne l'aurais pas su si l'un
de nous ne s'était souvenu d'avoir jeté un regard
sur la pendule. Tout ce que je me rappelle fut le
fracas. Il me réveilla comme il réveilla tout le
monde à San Matio. Un bruit comme je n'en
avais jamais entendu. Un mugissement..., un déchi-
rement. Une explosion.

Je sautai à bas de mon lit.

Déjà, Ramon était à la fenêtre. Il faisait trop
noir pour voir quoi que ce fût. Mais ce bruit !...
C'était comme le tonnerre, mais pas le tonnerre
dans l'atmosphère. On aurait cru que la montagne,
autour de nous, s'écroulait. Comment décrire cela ?
Jamais je n'avais rien entendu de semblable. Cela
venait d'au dessus, cela venait de tout autour. Pétri-
fiés, nous attendions que le toit nous tombe sur la

tête. Il nous semblait que cîme après cîme allaient s'écraser sur nous.

— Dieu nous aide ! murmura mon mari.

De la chambre voisine, j'entendis un appel.

— M'man, qu'est-ce que c'est ?

Un nouveau tonnerre, plus fort encore, fut accompagné d'un cri d'épouvante :

— M'man !

De toute la maison nous parvint le son de portes qui s'ouvraient, de voix. Tony, pieds nus, entra dans la chambre et je le serrai dans mes bras.

— Ramon, que se passe-t-il ? demandai-je d'une voix qui ne semblait pas être la mienne.

Il s'habillait. Au-dessus de la tête de Tony, il me regarda.

— Probablement un glissement de terrain. Ecoute...

Le vacarme des rochers qui tombaient diminuait un peu. Cela devint un murmure auprès de ce qui avait précédé. Je mis ma robe de chambre.

— Tu n'as pas peur ? demanda Ramon en soulevant Tony dans ses bras. Bien sûr que non, tu n'as pas peur. Tu es un homme !

Sans trop savoir comment, nous nous retrouvâmes en bas, dans le vestibule, où tout le monde s'était assemblé. Des visages gris... des voix étouffées. Des silhouettes étranges : Matilde, un bougeoir à la main et une couverture sur le dos, deux longues nattes pendant sur ses épaules ; les tantes en chemises de nuit, avec des filets roses sur la tête. Tante Maria tenait la cage aux oiseaux d'une main et un livre de prières de l'autre. Don Felipe lui-même était à demi vêtu et ses cheveux, habituellement bien coiffés, se dressaient sur sa tête comme sous l'empire de l'épouvante.

Tout le monde parlait à la fois.

— On entendait cela juste au-dessus de nous ! déclara oncle Jorge. J'ai cru... attendez ! Qu'y a-t-il encore ?

Il y eut un nouveau grondement, un nouveau choc, peu de chose comparé à ce qui précédait. Tante Agustina, toute sourde qu'elle fût, entendit le bruit et poussa un cri d'effroi. Puis, le roulement s'éteignit peu à peu et tous, sans prendre souci de nos tenues, courûmes sur la *plaza*.

Tous les habitants de San Matio devaient s'y trouver. Je n'ai jamais vu spectacle aussi étrange. Les gens sortaient de leurs maisons, vêtus de ce qui leur tombait sous la main. Des hommes avaient jeté leur veste sur leur pantalon de pyjama, les femmes, contrevenant aux principes les plus sacrés, étaient en chemises de nuit. Des enfants s'enroulaient dans des couvertures. Affolés, les villageois ne pensaient guère aux convenances. Il y avait de la lumière à toutes les fenêtres.

Nous nous mêlâmes aux habitants du village. A la vue de Don Felipe, les voix se turent et tous les regards se tournèrent vers lui. Le prêtre, Don Ignacio, habillé aussi succinctement que les autres, s'approcha de lui. Il garda le silence, attendant que Don Felipe parlât.

Felipe regardait la montagne. Nous levâmes tous les yeux. La nuit était sombre et on ne voyait rien. Il n'y avait pas de lune et le jour était encore loin. Je sentais que les montagnes nous enfermaient... et c'était de là-haut qu'était venu le fracas. Je m'aperçus soudain que la pluie, après être tombée si longtemps, avait considérablement diminué de force. Nous n'y faisions même pas attention.

— Qu'en pensez-vous ? demanda enfin Don

Ignacio à Don Felipe toujours muet. J'ai cru notre
dernière heure venue.

— Nous ne verrons rien avant le lever du jour,
dit Don Felipe, et il est probable que d'ici, nous ne
verrons pas grand-chose. Si c'est un important glissement de terrain, comme c'est probable, je pense
à ceux qui vivent dans des maisons isolées de la
montagne.

— Moi aussi, dit Ramon. Carlos, Juan, Arturo...
Ils peuvent avoir été emportés...

D'autres hommes entouraient maintenant Ramon
et son père. La discussion se fit générale. Tous
étaient anxieux. On prononça des noms. Mais
comment organiser des secours quand nul ne savait
qui secourir, et où aller ? De toute façon, on ne
pouvait rien avant le jour.

Ramon se tourmentait.

— Au jour, il sera peut-être trop tard. Si quelques-uns pouvaient aller...

— Non, dit fermement Don Felipe. Ce serait
folie que s'aventurer en pleine nuit. Tu es médecin,
je le sais, mais tu es aussi homme de la montagne
et tu connais le danger de partir en expédition tant
qu'il fait nuit.

Il se tourna vers les hommes.

— N'ai-je pas raison ?

— Oui, señor, approuvèrent-ils. Nous ne pouvons rien avant le jour.

Nous regagnâmes la maison, mais il n'était
question de dormir pour personne, pas même pour
Tony : il semblait avoir si peur que je le gardai près
de moi. Nous nous habillâmes rapidement pour
nous réunir dans le salon. Matilde préparait du café.

— Cela mettra un peu de couleur à ces joues,
me dit Doña Teresa en me tendant une tasse.

Elle me regarda avec inquiétude.

— Ma chère petite, vous devriez être couchée. Ramon, viens t'occuper de la mère de ton enfant : il faut qu'elle se repose.

Ramon, qui parlait à son père et à Jaime, ne songea plus qu'à moi. Jusque-là, je ne m'étais pas aperçue que j'allais très mal : c'était autre chose que les nausées qui accompagnaient mon réveil le matin : je frissonnais. Sans doute la réaction aux émotions récentes et à la tension des deux derniers jours.

Ils me répétèrent d'aller me coucher, mais comment l'aurais-je pu quand tous les autres étaient debout ? Qu'attendions-nous ? L'aube, et ce que le jour nous révélerait, je pense. De temps en temps, on entendait encore un grondement sourd, comme si la terre cherchait sa place. Puis, même cela s'arrêta. Ce fut le silence.

Finalement je m'allongeai sur le canapé. Tony était à la table avec les hommes. Ramon prenait des points de repère sur une carte : j'entendis mentionner le chemin qu'ils prendraient. Ils voulaient être sûrs que nulle demeure isolée ne serait oubliée. On avait ouvert les volets pour voir les premières lueurs du jour.

L'aube...

Elle vint enfin. J'aperçus un trait clair entre les nuages. Une aube grise et froide. Les hommes étaient prêts. Don Felipe, Ramon, oncle Jorge, Jaime, le prêtre, bien chaussés, bien abrités de la pluie. Je ne sais pourquoi, les femmes étaient angoissées.

— Prends garde ! supplia Doña Teresa en prenant les mains de son mari.

Il se pencha et l'embrassa sur les lèvres.

Pour la première fois depuis mon arrivée chez les Mingote, je le voyais témoigner sa tendresse à sa femme.

J'accompagnai Ramon à la porte.

Sur la *plaza*, les gens formaient des groupes. Les hommes qui devaient partir avec Don Felipe attendaient. Il faisait jour, mais le soleil ne se montrait pas et les nuages étaient encore bas. Vu ainsi, San Matio paraissait affreusement pauvre, sans couleur, sans chaleur : seulement des maisons nues et des rues empierrées.

— Prends garde ! dis-je à mon mari à mon tour.

Ils partirent. Je les regardai traverser la *plaza*, en direction du chemin qui s'amorçait à côté de l'église Après cette pluie, ce devait être un ruisseau de boue. Et ces nuages ! Ces nuages gris sous lesquels la campagne était si triste. Parvenu devant l'église, Ramon se retourna pour me dire au revoir. Il leva la main, et...

— Regardez !

Le mot éclata comme un ordre. Il retentit sur toute la place. Par hasard, en se tournant vers moi, Ramon avait levé les yeux. Maintenant, comme figé sur place, il fixait la montagne, la corniche qui surplombait la maison Mingote. Ses compagnons l'imitèrent. Un murmure courut sur les villageois rassemblés ; ils répétèrent le mot de Ramon :

— Regardez !

Cela montait de toutes les gorges. Tous les regards se levaient. Sur les visages, on pouvait lire la stupeur, puis l'épouvante.

— Qu'y a-t-il ? demandèrent les tantes.

Rosa se mit à geindre, puis à pleurer sans savoir pourquoi.

Je traversai la plaza en courant et je me retournai pour regarder. A l'est, derrière la maison, le ciel s'éclaircissait un peu. C'est ainsi que Ramon avait pu voir d'abord, entre les nuages. Puis, le ciel se dégageant, je vis. Et mon sang se glaça.

Car là-haut, perché sur une avancée de la montagne, à cinq ou six cents pieds au-dessus de San Matio, il y avait un rocher. Je le fixai sans en croire mes yeux. Il n'était pas là hier soir ! un rocher gigantesque. Je ne sais combien de tonnes il pouvait peser, je ne sais quelles étaient ses dimensions. Tout ce que je sais, c'est qu'accroché là, en un dangereux équilibre, il était énorme. Et je l'imaginai quittant son perchoir précaire et tombant... Droit sur San Matio. Je voyais le village détruit.

Je fermai les yeux.

J'espérais, j'essayais d'oublier la présence de ce rocher. Etait-ce un cauchemar ? Non. Quand je soulevai mes paupières, le rocher était toujours là. Une monstrueuse balle de ping pong en équilibre sur la pointe d'un couteau.

Doña Teresa poussa un petit cri d'horreur. Tout de suite, elle avait compris.

— Le Roc du diable ! murmura-t-elle.

Le silence s'abattit sur la *plaza*. La terreur nous pétrifiait. Nul ne parlait. Nul ne bougeait. Nous regardions, nous regardions indéfiniment, n'en croyant pas nos yeux. Le fracas de la nuit, le tonnerre, le grondement, l'explosion, tout s'expliquait. Après d'innombrables siècles, le rocher d'Alvez, autour duquel se tissaient les légendes, avait glissé. Il avait franchi le bord du plateau, que de là on ne voyait pas, et roulé jusqu'à ce promontoire. Quelques centimètres de plus, il roulait encore et tombait sur le village. La maison Mingote était sur le chemin.

Tony glissa sa main dans la mienne.

— Est-ce que le diable est encore de mauvaise humeur ? demanda-t-il d'une voix qui tremblait.

— Le diable ? répétai-je d'un ton vague.

Brusquement, je me souvins de la légende.

— Il a dû être de très mauvaise humeur, dis-je, mais il s'est calmé. Regarde : voilà le soleil.

Les hommes entamèrent leur ascension, mais à présent ils connaissaient leur objectif : Alvez. D'autres se joignirent à eux, parmi lesquels une partie des femmes les plus jeunes. J'y allai aussi. La montée n'était pas facile, même dans des conditions normales : aujourd'hui, par endroits, il était presque impossible d'avancer. Le sol s'était changé en un marécage boueux et la pluie ruisselait le long de la pente. Nous avions à franchir un petit torrent, et les grosses pierres sur lesquelles nous passions d'ordinaire avaient disparu : le filet d'eau était devenu une rivière bondissante. Il fallut sauter par-dessus. Certains retombèrent dans l'eau et durent continuer avec des chaussures trempées... Au-delà, le sentier s'était effacé sous l'incessante averse, de sorte qu'il fallut marcher au hasard au flanc abrupt de la montagne.

Enfin, ce fut le plateau d'Alvez.

— Non... ! Oh ! Non ! murmura le prêtre.

Effarés, nous contemplions ce qui avait été un lieu de pélerinage pour les gens de San Matio.

Alvez était méconnaissable. Le glissement de terrain, juste au-dessus dans la montagne, modifiait le contour du plateau : les grosses pierres étaient à demi ensevelies. De la chapelle où Ramon avait allumé un cierge, où, le vendredi précédent, nous avions trouvé Tony endormi, on ne voyait plus qu'un angle. Le reste était recouvert de terre et de cailloux. La force du mouvement avait frappé de plein fouet les rochers qui rendaient l'endroit célèbre, les recouvrant, les repoussant.

Et le « Roc du Diable », perché tout au bord du plateau, avait basculé dans le vide, roulé jusqu'au promontoire, plus bas.

Pataugeant dans la terre molle et les cailloux, nous parvînmes à l'endroit où la pierre gigantesque était demeurée au cours des siècles. Nous la contemplâmes. Un si petit promontoire ! Un rocher tellement énorme ! De là, le danger qui planait sur le village était clairement visible. L'équilibre de la grosse pierre était si précaire qu'il suffisait, semblait-il, d'un souffle de vent, pour le lui faire perdre. Et alors...

Prise de vertige, je reculai.

Les hommes discutaient. J'entendis la voix de Jaime dominer les autres : on y sentait la terreur.

— Pensez à vous tous ! disait-il. Naturellement il faut évacuer le village ! Un autre glissement de terrain et où serons-nous ? Ecrasés sous ce monstre !

Ils ne partageaient pas tous cet avis.

— Ce n'est pas aussi dangereux qu'il y paraît, dit l'un des anciens de San Matio. Le promontoire sur lequel le roc est tombé est étroit, oui, mais sa pente est ascendante vers l'extérieur. Cela seul est une protection. Et pourquoi y aurait-il un nouveau glissement ? Le fait est tout à fait extraordinaire. Aucun de nous se souvient-il d'avoir jamais vu cela ? Non.

— Je n'aime pas cela, dit un autre villageois. Nous allons demander des avis d'experts, naturellement, mais qui pourrait vivre tranquille avec cette menace de mort suspendue au-dessus de sa tête ? Ramon, qu'en pensez-vous ?

Ramon fut lent à répondre.

— Je ne sais pas, dit-il enfin, mais imaginez-vous...

Sa voix devint basse et vibrante.

— En est-il un seul qui vivrait heureux ailleurs que dans nos montagnes ?

C'était le cri du cœur. Je me rappelai la lettre de Max et l'hôtel. Mon hôtel... Voilà où nous aurions pu vivre. Seulement, comme Ramon le disait, il ne pourrait pas y être heureux.

Personne ne dit rien. Tous regardaient Don Felipe, attendant son avis. Tous respectaient ses opinions. Mais il gardait le silence. Malgré la fatigue de l'ascension et sa pâleur grisâtre, il serrait les lèvres.

Tony lui prit la main.

— La Dame d'Alvez a arrêté le diable quand il était en colère, l'autre fois, dit l'enfant. Croyez-vous qu'elle l'a empêché de jeter le rocher sur nous pendant la nuit ?

L'ombre d'un sourire effleura les lèvres crispées du vieil homme qui regarda le petit garçon.

— Je n'en doute pas, dit-il gravement.

Il se tourna vers les hommes qui attendaient sa réponse.

— Cet enfant a plus de sagesse que nul d'entre nous. Demandez l'avis des experts, oui... mais notre plus grand espoir demeure Notre Dame d'Alvez. Elle a déjà sauvé San Matio... Elle le sauvera encore.

CHAPITRE XI

Ce fut un jour de silence. Un silence d'angoisse, de terreur. Je n'aurais jamais cru qu'une communauté d'êtres humains, deux centaines en tout, environ, je suppose, ferait si peu de bruit, parlerait si peu. Le mutisme qui nous avait frappés alors que les nuages s'écartant, nous avions vu le rocher, demeurait sur nous. Habituellement, San Matio, sans qu'il y régnât beaucoup de circulation, était bruyant : les gens s'interpellaient, les enfants jouaient. Les femmes discutaient d'une porte à l'autre, les hommes allant au travail saluaient d'un appel les voisins et les parents en passant devant chez eux. Un soir, assise sur le balcon du salon, je m'étais demandé comment si peu d'individus pouvaient faire tant de bruit avec leur langue et leur gosier.

Du jour où le roc tomba, tout changea. Nous redescendîmes d'Alvez pour trouver tout le village assemblé sur la *plaza*, mais peu de mots furent prononcés. Les femmes regardèrent le rocher et se signèrent, puis appelèrent leurs enfants autour d'elles. Certains rentrèrent chez eux. D'autres restèrent là, tête levée.

Dans la maison Mingote, les hommes tinrent

une conférence dans la bibliothèque. Don Felipe
téléphona au maire de San Martin, puis à des personnages importants de Barcelone. Les contacts
étaient difficiles à établir.

— Je sais bien, c'est dimanche, dit-il, mais il
s'agit d'une question urgente. Pour tout le village.
Dimanche ?

Je l'avais oublié, comme les autres. Quand la
cloche de l'église tinta, il y eut un murmure d'étonnement sur la *plaza*. Au premier son de cloche, je
vis Ramon bondir à la porte, l'ouvrir : avant que
j'aie compris ce qui se passait, il était dehors.

— Pas de cloches ! clama-t-il, courant vers
l'église. Veut-il remettre les rochers en branle pour
nous tomber sur la tête ? Pas de cloches !

Il entra dans le sanctuaire et la cloche s'arrêta
aussitôt.

Par contraste, le silence parut plus profond. Il
semblait palpable. Ceux qui marchaient dans la rue
ralentirent. Tous levèrent les yeux, comme s'ils
n'osaient pas cesser de surveiller le roc si dangereusement perché. Doña Teresa sortit de sa chambre,
une mantille sur la tête, son livre de messe à la
main.

— Venez, dit-elle seulement.

Les tantes se levèrent. Matilde et Rosa attendaient près de la porte. Les hommes continuaient
à téléphoner. Les femmes seules se rendirent à
l'église.

Jamais je ne l'avais vue aussi pleine. Mais l'as-
sistance avait changé. Généralement, les hommes
étaient en costumes sombres et cravates, les femmes portaient leurs plus belles robes. Pas ce diman-
che-là. Tout le monde était venu en habits de travail. Mais comme ils priaient ! Il y avait dans les

voix qui répondaient une ferveur que je n'y avais jamais décelée. Une adjuration. Don Ignacio la ressentait aussi, tout en suivant la routine familière, car je le vis s'arrêter et s'éponger le front et les yeux de son mouchoir. Je regardai les villageois se suivre, pour la communion, et pour la première fois je regrettai de ne pouvoir me joindre à eux. « Si nous échappons au danger », pensai-je, faisant le vœu.

Je le devais à Ramon. Il en serait si heureux. Inclinant la tête, je priai avec eux.

Les habitudes du dimanche étaient rompues. D'ordinaire, après la messe, les femmes rentraient chez elles et les hommes allaient au café, boire un peu et beaucoup parler. Aujourd'hui, le café était ouvert mais personne n'y entrait. Les gens formaient des groupes qui s'entretenaient à voix basse, les yeux fixés sur le « Roc du Diable ».

Doña Teresa et les tantes s'arrêtèrent pour échanger quelques mots ici ou là, à voix basse. Les tantes étaient nerveuses et regardaient le rocher comme tout le monde. Pas Doña Teresa. En robe de soie noire, avec un pendentif et des boucles d'oreilles d'or, — seule à San Matio elle avait soigné sa mise, — elle semblait tranquille et sereine.

— Mon mari a pris contact avec Barcelone, dit-elle. Ils enverront certainement des géologues, et des officiels du gouvernement. Ces gens savent que faire dans ce genre de situation. Ne vous tourmentez pas.

Ainsi, prononçant des paroles rassurantes et distribuant les sourires, Doña Teresa nous guida vers la maison. Mais dès que la porte fut refermée, son sourire disparut : elle était aussi angoissée que nous.

— Eh bien ? demanda-t-elle à Don Felipe qui sortait de la bibliothèque.

— Ils viennent.

Don Felipe semblait fatigué.

— Leur voyage ne sera pas facile : il y a beaucoup d'inondations. Ils espèrent cependant être là peu après midi.

Il y eut beaucoup d'allées et venues pendant la matinée : les villageois venaient voir Don Felipe pour lui poser des questions ou lui faire part de leurs idées. Je comprenais maintenant ce que disait Ramon en déclarant qu'on respectait son père : je voyais que dans une situation grave, tous les regards se tournaient vers lui. Ramon et Jaime retournèrent à Alvez pour confirmer les premières constatations. Le téléphone sonnait sans arrêt. De San Martin, Don Rafael appela pour savoir comment s'en tirait son cher ami. « Ici aussi, nous avons des ennuis, dit-il. La fabrique est inondée. » Isabel me parla. « Je viendrais bien, me dit-elle, mais mon devoir est de rester auprès de mon père. » Après cela, il y eut d'autres appels de Barcelone. Notre village isolé devenait un endroit important. Les nouvelles du roc étaient parvenues à un journal et des reporters téléphonèrent pour s'informer.

— Vous ne comprenez pas ? Ils guettent pour écrire une notice nécrologique ! dit Jaime avec une irritation non déguisée.

Il repoussa impatiemment son assiette. Nous étions à la salle à manger où Matilde, en dépit de l'affolement général, nous servait l'habituel repas de quatre plats.

— Nous sommes sur le chemin de la destruction, reprit Jaime, et vous attendez tranquillement ! C'est de la folie !

— Le glissement de terrain est terminé, lui rappela Ramon. Il n'y a pas de danger imminent.

— Ecoutez l'expert ! Avec ce rocher suspendu au-dessus de nous, tout peut arriver !

Jaime se leva et marcha nerveusement jusqu'à la fenêtre. Don Felipe gardait le silence.

— Si je pensais cela, crois-tu que je resterais ici, mettant en danger la vie de ma femme, celle de mon fils, dit Ramon en posant la main sur l'épaule de Tony, et celle de notre futur enfant ? Non ! Je suis convaincu que le danger est moins pressant qu'il n'y paraît. J'admets que je ne suis pas un expert, mais le rocher est dans une telle position qu'à mon avis, il peut rester là indéfiniment.

— A moins qu'il ne tombe !

— Alors, Jaime, quel est ton avis ? demanda Don Felipe.

— Vous le savez. Nous devrions partir.

— Fuir un péril qui ne se réalisera peut-être jamais ? Ne serait-ce pas une lâcheté ?

La bouche de Jaime se tordit. Cette accusation devait lui faire mal : comme je le savais, un Espagnol tentera l'impossible pour ne pas mériter d'être traité de lâche.

— C'est indispensable, répéta-t-il cependant. Oui, évacuer tout le village. Et spécialement cette maison qui serait directement sur la trajectoire du rocher s'il tombait, et...

— Nous ne partirons pas !

Tressaillant, nous nous retournâmes vers le bout de la table. Ces paroles avaient été prononcées par la vieille grand-mère. Comme toujours, elle était soutenue par des oreillers et sa tête se penchait en avant de sorte que son menton disparaissait dans son châle noir. Felipe et Teresa échangèrent un regard inquiet.

— Nous restons ici ! déclara-t-elle d'une voix

pleine d'autorité, en complet désaccord avec sa mince silhouette tassée. Relevant la tête, elle nous regarda d'un air impérieux.

— Les Mingote habitent cette maison depuis le seizième siècle, dit-elle. Nous y resterons. M'entends-tu, Felipe ? Nous restons !

— Oui, je vous entends.

Don Felipe se leva et alla tapoter l'épaule de sa mère en un geste rassurant. En même temps, il jetait à Jaime un regard qui mettait fin à la discussion.

— Nous... restons !

Il n'y avait plus d'autorité dans la vieille voix. La tête de la vieille femme retomba en avant et soudain, son visage ridé devint d'une pâleur mortelle. Elle ouvrit la bouche, comme si elle luttait pour respirer, mais la respiration vint en un râle étranglé. Ramon était déjà debout. Je me levai précipitamment et j'emmenai Tony.

— Nous allons attendre dans le vestibule, murmurai-je.

Tony ouvrait de grands yeux.

— Elle... elle est morte ?

Je hochai la tête.

C'était donc le village où rien ne se produisait jamais, m'étais-je dit. C'était la famille où régnait cette routine monotone. A cet instant, j'aurais beaucoup donné pour revenir à cette routine-là.

Ainsi était morte la vieille grand-mère. En d'autres temps, il y aurait eu des signes immédiats et visibles de deuil : nous nous serions enfermés dans la maison, ne recevant pas de visites, n'acceptant aucune invitation. J'appris d'ailleurs avec consternation que je devrais porter du noir pendant une année. C'était la coutume, expliqua tante Maria.

Aujourd'hui, en face d'une terrible calamité, la mort de la vieille femme ne signifiait pas grand-chose. Ramon envoya chercher le prêtre, fit appeler Benito, le menuisier, qui était aussi au village le fabricant de cercueils. Après cela, la famille affecta de pleurer. Mais je savais que leur premier souci était l'attente des experts de Barcelone.

Ils finirent par arriver, un plein camion, sous la direction d'un homme svelte et agile nommé le señor Vega. Ils avaient eu des difficultés en route car la vallée de Santa Ana était sous l'eau, et il était tout juste possible de pénétrer dans San Matio car la rivière était très haute. Ils parurent avec bruit sur la plaza, ce qui nous fit sursauter car nous avions pris l'habitude du silence.

Don Felipe sortit pour les accueillir.

Le señor Vega était homme d'action plutôt que de paroles. Il n'accepta pas l'invitation de Doña Teresa à se rafraîchir : ils avaient beaucoup à faire, dit-il, avant la chute du jour. Il y eut des présentations brusquées, puis, accompagnés de Don Felipe, de Ramon et de quelques anciens du village, les experts s'engagèrent sur le sentier qui conduisait dans la montagne.

La journée fut interminable. Ne pouvant plus rester enfermée dans la maison, je sortis sur la place avec Tony. Quand je parlai de mon projet, tante Maria s'agita. Jetant un regard sur le fauteuil vide de la grand-mère, elle murmura que ce n'était pas convenable. Mais Doña Teresa écarta la protestation d'un geste.

— Cela fera du bien à Antonio de prendre l'air, dit-elle. Emmenez-le dehors un moment, ma chère Janet.

J'allai donc rejoindre les femmes qui attendaient.

Les nuages se dispersaient et un pâle soleil brillait dans un ciel aqueux. Nous ne pouvions pas voir grand-chose, jusqu'au moment où le forgeron étonna tout le monde en apportant une paire de jumelles. L'instrument passa de main en main, et quand je m'en servis, bien qu'il fût impossible de comprendre ce que faisaient les hommes, je reconnus la haute silhouette de Ramon.

Ils restèrent si longtemps sur ce qui avait été le plateau d'Alvez que la nuit tombait quand ils en descendirent. A quoi nous attendions-nous ? Je ne sais pas. Je perdais le sens des réalités, j'avais l'impression de vivre un rêve où régnait la fantaisie. A la jumelle, je vis les hommes commencer à descendre, puis ils disparurent de notre rayon visuel et il se passa beaucoup de temps avant que le groupe ne parût enfin à côté de l'église.

Le señor Vega avait l'air grave. Il écarta les questions anxieuses d'un geste de la main et se dirigea vers le *palacio*. Don Felipe et ses compagnons le suivirent.

— Ils vont faire rester le rocher à sa place ? me demanda Tony avec angoisse. Nous ne serons pas obligés de partir ?

— Il pourrait être né Mingote ! dit Doña Teresa. Votre Antonio est vraiment l'un de nous !

Je ne répondis rien. Nous avions suivi les hommes dans la maison et nous attendions une fois de plus. Ils discutaient dans la bibliothèque, toutes portes fermées. Matilde leur porta de quoi manger sur un plateau et nous dit que le señor Vega essayait de téléphoner à Madrid. Plus tard, l'un des hommes sortit, et par la porte entrouverte, nous vîmes les autres groupés autour du señor Vega qui était assis sur un coin de la table, les jambes pendantes.

— Ainsi, c'est là ce que vous décidez ? lui demanda Don Felipe.

— Non, non, je ne décide rien, dit l'autre impatiemment. Je recommande, c'est tout. Comme je vous l'ai dit, le rocher est tombé de telle façon qu'il peut rester mille ans sur ce promontoire, et la forme du promontoire est une aide, vous comprenez ? Mais par ailleurs, nul ne peut dire qu'il n'y aura plus de glissement de terrain. De là vient ma recommandation.

Jaime interrogea vivement :

— Alors ? Nous évacuons le village ?

— S'il te plaît... ! dit sèchement Don Felipe. Evacuer... le mot est affreux. Jaime, cela ne te ferait-il rien si nous devions quitter nos foyers ?

Doña Teresa poussa une petite exclamation consternée. Elle tremblait. Je la soutins jusqu'à un fauteuil et elle prit mes doigts, les serra avec épouvante.

A travers la porte entrouverte, la voix se fit entendre de nouveau.

— Nul doute que le gouvernement aidera vos gens à s'établir ailleurs. Dans les villes, il y aura plus de possibilités pour eux et pour leurs enfants. C'est dur, je le sais, mais pour finir, ce ne sera peut-être pas une mauvaise chose.

— Sauf que la plupart d'entre nous étoufferons dans vos villes, dit Ramon. Je sais, j'ai vécu à Barcelone. Nous sommes des hommes de la montagne. Ces montagnes..., elles sont le sang qui nous fait vivre.

— Il se pourrait qu'elles vous fassent mourir. Cependant, comme je vous le disais, il semble qu'il

7

n'y ait pas de danger imminent ; aussi, à ce stade, je ne vous donne qu'un conseil. Il vous appartient, señor, de décider.

— Non, répondit Don Felipe d'une voix enrouée. C'est le peuple qui décidera.

A la hâte, les villageois furent appelés à s'assembler. Je ne pense pas pouvoir jamais assister à une scène aussi étrange. La nuit était tombée, à présent, mais il y avait des lumières aux fenêtres et quelques lanternes éclairaient la *plaza*. Nous l'ignorions à ce moment, mais un jeune et entreprenant journaliste de Barcelone, entendant parler de la chute du rocher, s'était mis en route : il arriva juste au commencement de l'assemblée. C'est ainsi que l'histoire parut dans les journaux nationaux.

Nul orateur n'aurait pu espérer plus d'attention. Hommes, femmes et enfants, tout San Matio était là. Le señor Vega monta sur les marches de la fontaine : il parla vite, avec précision. Ce qu'il dit était à peu près ce que je lui avais entendu dire à Don Felipe, sauf qu'il donna des détails, expliqua la position du rocher, décrivit la manière dont ils avaient examiné la stabilité du terrain à l'endroit du glissement. D'autres experts viendraient de Madrid pour procéder à d'autres examens, mais à son avis, le rocher ne risquait pas de tomber immédiatement. Il insista sur le terme « immédiat ». Les choses pouvaient demeurer telles quelles pendant des siècles. Mais il ne pouvait l'affirmer. S'il survenait un nouveau glissement de terrain, si d'autres rochers tombaient du plateau sur le promontoire...

Il leva les épaules.

— Cela n'arrivera peut-être jamais, mais cela peut se produire. Il faut y penser. Dans une circonstance semblable, inutile de vous dire ce que seraient

les conséquences pour votre village. Tant que ce
rocher... « le Roc du Diable » comme vous l'ap-
pelez, est suspendu au-dessus de vos têtes, vous
vivrez avec la possibilité d'une mort soudaine...
C'est pour cela que je vous recommande l'évacua-
tion immédiate de votre village.

Un murmure semblable au bourdonnement d'une
ruche d'abeilles passa sur l'assemblée : les femmes
regardaient leurs maris, les enfants se tournaient
vers leurs mères. Tony glissa sa main dans la mienne.
Il n'aurait pas dû être là, entendre tout cela, mais
je ne pouvais le laisser seul dans la maison avec
une morte, et de toute façon je ne voulais pas le
perdre de vue.

— Ne vivons-nous pas toujours avec la possibilité de mourir tout à coup ? demanda un homme.
Vous dites que le roc peut rester là pendant des siècles... Ne serait-ce pas une folie que fuir une
chose qui n'arrivera peut-être jamais ?

Quelques voix s'élevèrent pour approuver.

Le señor Vega monta sur la plus haute marche
de la fontaine pour voir celui qui venait de parler.

— Non, dit-il, ce serait la décision d'un sage.
Vous avez le devoir de songer à vous, mais aussi à
vos femmes et à vos enfants. Quelle vie sera la
leur si matin et soir, leur premier et dernier regard
se porte là-haut, sur le rocher ?

D'autres voix s'élevèrent. J'entendis une phrase :

— Une existence de terreur...

Les hommes secouaient la tête avec découragement. Une femme demanda si le rocher ne pourrait
être dynamité. Non, répondit patiemment l'expert.
Le promontoire sur lequel il reposait était d'accès
difficile, et même si l'on pouvait utiliser la dynamite,
cela ne ferait que provoquer, précisément, ce qu'on

voulait éviter : la destruction du village placé en
dessous. Ne pouvait-on changer le monstre de place ?
Non, c'était impossible.

— Ou bien vous vivez avec le rocher comme il
est, ou bien vous commencez une vie nouvelle ailleurs, déclara le señor Vega. A vous de choisir.

A la lueur vacillante des lanternes, les visages
qui entouraient la fontaine ressemblaient à ceux
qu'on voit sur d'anciens tableaux, semés de zône
d'ombre et de traits de lumière. Je les examinai tour
à tour : vieux visages, jeunes visages, visages ridés,
visages las. Tous exprimaient la frayeur. Non seulement la peur du rocher, mais la peur de l'avenir
indiqué par le señor Vega. Un avenir loin de ces
montagnes, un avenir dans des maisons de villes,
avec du travail dans des usines et bien plus d'argent
dans les poches qu'on n'en pouvait gagner ici. Il
n'avait aucune autorité pour leur offrir tout cela,
dit-il, mais il était certain que le gouvernement veil-
lerait à ce qu'ils soient relogés et reclassés.

Je les regardais : le forgeron qui réparait les
bicyclettes et les autos en plus de son travail pro-
fessionnel, le menuisier qui fabriquait les cercueils,
ou les objets ménagers qu'on lui demandait, le bou-
cher qui élevait quelques porcs dans sa cour, le
coiffeur qui possédait l'unique taxi de San Matio.
Je regardais le sellier, le potier, le savetier. Jamais
ils ne s'adapteraient à l'existence dans une ville.

Pas plus, Dieu me vienne en aide ! que Ramon.

De là où je me tenais, en arrière de la foule, je
l'apercevais de temps en temps. Il était à côté de
son père, près de la fontaine. Le señor Vega se tut.
Il avait donné ses conseils, il attendait maintenant
leur décision. Mais la décision ne venait pas. Les

villageois s'interrogeaient du regard. Devinant leur incertitude, il haussa impatiemment les épaules.

— Ceux qui veulent partir dès maintenant seront conduits à San Martin, dit-il d'une voix froide et impersonnelle. J'ai déjà pris contact avec le maire. Ou si vous décidez d'attendre les propositions du gouvernement, j'en parlerai immédiatement aux autorités.

Il se tourna vers le prêtre.

— Alors ? Quelle est la décision ?

Don Ignacio hésitait.

— Je ne puis parler pour tant de gens, dit-il.

— Dans ce cas, qu'ils parlent eux-mêmes.

Au ton du señor Vega, on le devinait agacé.

— Partez-vous ? Ou voulez-vous rester ?

Silence.

Je voyais des hommes qui, normalement, auraient méprisé toute marque d'affection publique, attirer leurs femmes contre eux. Une bonne vieille, certainement née à San Matio, pleurait sans bruit. Les enfants eux-mêmes, sentant que l'heure était grave, ne s'agitaient plus et restaient immobiles à côté de leurs parents. L'expert, de nouveau, s'adressa à l'assemblée.

— Voulez-vous vivre avec le rocher, ou voulez-vous partir ? Dites-le !

Quelqu'un cria :

— Don Felipe, que devons-nous faire ?

D'autres voix s'élevèrent aussitôt, répétèrent la question, suppliant :

— Dites-nous, señor.

J'attendis les paroles de Don Felipe. Il était debout devant la fontaine au côté du señor Vega, mais il ne répondit pas tout de suite.

— Conseillez-nous !

La prière venait de tout le village réuni. Je le vis carrer ses épaules, puis il leva une main pour demander le silence. Quand il parla enfin, ce fut à voix basse, mais on entendit chaque syllabe.

— A vous de décider pour vous-même, dit-il. Je ne puis parler que pour moi seul. San Matio a été le village de mon père, de mon grand-père, du père et du grand-père de celui-là. Depuis le seizième siècle, les Mingote ont vécu à l'ombre de ces montagnes. Comment y sommes-nous demeurés si longtemps ? Certainement pas en fuyant le moindre danger. Au cours des siècles, notre famille a certainement dû affronter des dangers nombreux.

La voix de Don Felipe s'éleva, plus forte.

— Oui, nous avons été menacés par les guerres, par les dissensions, les inondations, les mauvaises récoltes. Le Bon Dieu a toujours veillé sur nous. Tout comme Il a veillé sur les habitants de ce village quand le diable en colère a lancé les rochers du haut de la montagne.

« Avez-vous oublié l'histoire d'Alvez ? Sûrement pas ! Vous vous rappelez que le peuple entendit les rochers tomber. Vous vous rappelez ce qu'il a fait ? Les gens ont prié. Ils ont tant prié que leurs prières furent entendues. La Vierge sainte apparut et le diable s'enfuit. Vous en souvenez-vous ?

Un long murmure d'acquiescement monta de la foule.

— Le peuple de San Matio ne fut pas abandonné alors. Il ne sera pas abandonné aujourd'hui. C'est pourquoi, en mon nom, en celui de ma femme, au nom de son frère, de mes sœurs, de mes fils et de la femme de mon fils, je dis... Nous restons !

De nouveau monta un murmure approbateur.

— Nous vivrons avec le rocher ! dit quelqu'un.

La phrase se répéta de tous les côtés.

— La catastrophe ne se produira peut-être jamais. Nous restons avec le Roc !

Don Felipe se mit à genoux, et là, au centre de la *plaza*, il pria. Il pria sans respect humain. Ouvertement. Un à un, tous ceux qui étaient là s'agenouillèrent aussi. Tony tira ma robe.

— Ils disent leur prière ! murmura-t-il. M'man ! Alors, moi aussi, je me mis à genoux.

Au-dessus de nous se dressait le grand mur de la montagne, et quelque part, là-haut, invisible dans les ténèbres, le Roc.

Le señor Vega et ses hommes remontèrent dans le camion et partirent, plus impressionnés que surpris.

— J'ai considéré qu'il fallait prêcher la prudence, dit l'expert, mais je suis convaincu que vous n'entendrez plus jamais le fracas des rochers.

Pour moi, j'étais malade d'appréhension, et quand Tony fut couché, je restai dans ma chambre, incapable de supporter le verbiage des tantes. Il était tard quand Ramon me rejoignit.

— Pas encore au lit ? observa-t-il.

Je quittai mon fauteuil. J'étais si fatiguée que j'avais peine à me tenir debout. Ramon paraissait épuisé.

— Es-tu du même avis que ton père ? demandai-je.

Don Felipe avait influencé les villageois ; Ramon s'était-il simplement incliné, ou partageait-il son avis ?

— Mon père est un sage, dit-il. Ne te tourmente pas tant, Janet. Comme lui, je crois que le risque est minime.

— Il y a tout de même un risque ?

— Toute vie comporte des risques.

Il retira sa veste. Le ton de sa voix ne me disait pas s'il était vraiment du côté de son père, ou s'il parlait ainsi par devoir filial.

— Il nous faut comparer ce risque minime au bien général, reprit-il. Que deviendraient ces gens dans des villes ? Ils y étoufferaient.

— Alors... nous sommes obligés de... rester ?

Mon mari me regarda d'un air suppliant.

— Que voulais-tu donc faire ?

— Partir ! dis-je avec une ferveur qui me surprit moi-même. Je voudrais partir. Ramon, nous pourrions repartir dans la vie. Nous pourrions aller vivre en Angleterre... faire de l'hôtel une maison de convalescence, ou... » Je m'interrompis brusquement.

— L'hôtel ? répéta-t-il sans comprendre.

A contrecœur, je lui montrai la lettre de Max. Il finirait bien par la lire, mais je n'aurais pas voulu le tourmenter quand il avait déjà tant de soucis. Il lut lentement, en silence, et me rendit le papier.

— Que vas-tu faire ? demanda-t-il d'une voix mal assurée.

— Je vais écrire au notaire de tante May, lui demander d'établir un contrat qui sauvegarde mes intérêts tout en confiant la gestion de l'affaire à Max.

— Es-tu ... sûre ? demanda Ramon avec hésitation. Si tu n'es pas heureuse ici... Janet, ma bien-aimée, je ne te retiendrais pas si tu voulais... retourner à ta vie d'autrefois, à ton hôtel.

— Si tu venais avec moi, j'y retournerais, mais sans toi...

Je repris mon souffle.

— Tu es devenu ma vie, murmurai-je. Et je ne
sais plus ce que je voudrais faire.

Je tournai la tête pour lui cacher les larmes qui
montaient à mes yeux.

Le lendemain, la grand-mère fut enterrée.
L'église était pleine : tout le monde était là. Les
hommes seuls entrèrent dans le cimetière. Les femmes, silencieuses, regagnèrent le *palacio*.

— Avez-vous remarqué Felipe ? demanda tante
Maria. Je suis sûre qu'il ne va pas bien.

Don Felipe rentra, appuyé sur sa canne et
tenant le bras de Ramon. Il avait vieilli de plusieurs
années en une seule nuit. Il refusa pourtant de se
coucher et passa la journée dans un fauteuil, parlant
peu, mais grognant si l'on s'inquiétait de lui.

Les heures se traînèrent. Le soir vint enfin et je
fus heureuse de voir les lampes allumées, les rideaux
tirés. La longue journée s'achevait. Nous venions de
prendre place à table pour le repas du soir quand
nous l'entendîmes, lointain, mais distinct.

Le tonnerre encore.

CHAPITRE XII

Muets, nous regardâmes, avec la même idée, la même frayeur. Tante Agustina, qui n'avait rien entendu, voyant nos expressions, demanda avec inquiétude :

— Est-ce le rocher ?

— Ce n'est rien, dit Ramon. Seulement un peu de tonnerre.

Tout avait commencé de cette façon : le tonnerre, le glissement de terrain...

Don Felipe, assis à sa place, mais ne mangeant rien, se redressa. Il nous regarda tour à tour, puis ses yeux se fixèrent sur Tony.

— Les hommes n'ont pas peur du tonnerre, dit-il. Tu n'as pas peur, Antonio ?

— N... non

— Bien. Ce n'est qu'un orage. Il passera. Jorge, tu disais ?

La conversation reprit. L'orage se taisait. En me levant de table, j'emmenai Tony se coucher : il s'endormit la tête sur l'oreiller. En descendant, je trouvai la famille dans le salon ; Don Felipe refusait toujours d'aller au lit : il était très rouge, comme s'il avait la fièvre, et la sueur perlait à son front.

Sans doute avait-il pris froid, mais au lieu de se soigner comme n'importe qui, il prétendait se porter très bien. Je le vis prendre une revue : il fit semblant de lire mais n'en tourna pas une seule page.

Matilde apporta le café et j'aidais Doña Teresa à servir quand tout à coup, l'orage éclata. Le coup de tonnerre entendu pendant le dîner n'en était que le prélude, et maintenant, il était sur nous dans toute sa force. De nouveau les éclairs déchiraient le ciel, de nouveau le bruit du tonnerre se répercutait dans les montagnes.

Un orage semblable au dernier. Et à présent, nos craintes se réveillaient.

D'abord, personne n'osa rien dire. A chaque nouveau coup de tonnerre, je voyais Doña Teresa se mordre les lèvres. Tante Maria alla chercher la cage des canaris.

— Ils ont peur, expliqua-t-elle.

Qui n'aurait eu peur, avec l'orage déchaîné et le « Roc du Diable » perché au-dessus de nos têtes ? Avec terreur, je pensai que désormais, ce serait là notre vie : chaque orage apporterait l'angoisse. Stupidement, au lieu d'écouter et de suivre le señor Vega, nous nous étions rangés à l'avis d'un vieillard obstiné qui se souciait plus de ses ancêtres que de sa famille présente. Il nous traitait injustement.

En restant là, j'étais injuste pour Tony.

Subitement, notre peur à tous explosa par l'intermédiaire de Jaime. Il bondit sur ses pieds.

— Regardez-nous ! cria-t-il, blême et tremblant, avons-nous perdu la raison ? Nous sommes là... nous attendons. Qu'attendons-nous ?

Un autre coup de tonnerre. Je vis ses mains se crisper.

— Nous ne serons pas là quand le rocher tombera ! Nous serons dessous, et...

— Jaime ! dit vivement Doña Teresa.

— C'est la vérité.

Il se tourna vers son père.

— Je sais que vous me prenez pour un lâche, mais je suis seulement réaliste. Il faut partir.

— A cause d'un orage ? demanda Don Felipe d'une voix méprisante. Sois un homme ! Tu as été élevé dans ces montagnes, tu sais que nous avons des orages et de grosses pluies tous les automnes. C'est normal.

— Nous n'avons pas toujours eu le rocher suspendu au-dessus de la tête ! C'est à cause de cela que j'ai peur. Oui, et tous les autres ont peur aussi sans vouloir l'avouer. Ramon, regarde ta femme ! Et tante Maria ! Même oncle Jorge. Vous aussi, Mère. D'accord, le rocher ne tombera peut-être jamais, mais il y a un risque et vous le savez très bien.

— Notre Dame d'Alvez a sauvé le village une fois, dit Don Felipe.

— Une légende !

Jaime marchait nerveusement de long en large.

— Oui, une légende, et à cause de cela vous mettez en danger les vies de tout un village !

La décision a été prise à l'unanimité, dit Ramon.

— Parce que les gens de San Matio sont pétris de superstition !

L'exclamation d'horreur qui salua cette opinion disparut presque dans un coup de tonnerre si violent qu'il semblait venir directement d'au-dessus de nous. Jaime continua :

— Très bien. Restez si vous voulez. Moi, je m'en vais !

— Te sauveras-tu à chaque orage ? demanda Don Felipe dédaigneux.

— Jusqu'au jour où je saurai avec certitude qu'il n'existe plus de danger de glissement de terrain... ou jusqu'à la chute du rocher. Personne ne viendra-t-il avec moi ?

La pluie soudaine battait lourdement les fenêtres à présent : elle faisait autant de bruit qu'une averse de graviers. Ainsi était tombée la pluie avant l'orage précédent et en entendant cela, je sentis mon sang-froid m'abandonner. Jaime avait raison : nous étions fous de rester sur le chemin d'un éventuel désastre à cause de l'absurde orgueil d'un vieil homme. Un orgueil soutenu par la superstition. Indifférente aux regards de la famille, je me jetai dans les bras de Ramon.

— Je t'en prie ! suppliai-je. C'est fou de rester ici, tout au moins pendant cet orage. Partons ! Je t'en supplie !

Ramon me regardait fixement.

— Tu veux vraiment... partir ?

— Je pense à Tony.

Il hésita. Il aurait pu me répondre, à juste raison, que pensant à Tony je pensais aussi à moi. Il aurait pu me faire remarquer que je cédais à un sentiment de panique. Il dit seulement :

— Monte et mets quelques affaires dans une valise. Je te rejoins.

En sortant de la pièce, honteuse de moi, mais sûre que j'agissais sagement, j'entendis que Ramon parlait à son frère, mais je ne distinguai pas ce qu'il disait.

Dans notre chambre, je jetai des choses dans une valise, des vêtements à Tony, à moi, et enfin à Ramon.

Il entra tranquillement, regarda la valise à moitié pleine, et sans un mot, en retira ses affaires.

— Pourquoi ? demandai-je.

Je savais déjà, cependant.

— Plus que tout je voudrais être avec toi, dit-il. Janet... Tu sais bien que c'est impossible. Je ne peux pas partir.

Ne pouvait-il pas ou ne voulait-il pas ? La manière dont mon mari s'inclinait toujours devant la volonté de son père m'irritait depuis le début.

— Pourquoi ? répétai-je.

— Mon père n'est pas bien. Il est âgé. Imagine les reproches que je m'adresserais si je partais avec toi, et que son état s'aggravait ?

— Je pars seulement jusqu'à la fin de l'orage !

— Vraiment ? demanda-t-il avec douceur. C'est ce que je voudrais croire, mais... je me demande...

Il entoura mon visage de ses mains et m'embrassa sur la bouche, violemment. L'épouvante me submergea. Je n'avais pas peur de l'orage, je ne l'entendais plus, mais peur pour nous. Je mis mes bras autour du cou de Ramon et je me cramponnai à lui : j'avais l'impression de le trahir, et je savais cependant que je devais partir. Pour Tony, me répétais-je. Mais était-ce pour Tony, ou parce que les événements des derniers jours m'avaient vidée de tout courage ? La pluie frappait la fenêtre. Le tonnerre grondait.

— Viens avec nous, suppliai-je.

Il ne répondit pas directement.

— Jaime va vous emmener chez Isabel.

Il se libéra de mes bras.

— Attends. Je vais chercher Tony.

J'attendis. Je regardai cette chambre que j'avais haïe dès le premier instant. La chambre du fils aîné.

Je ne l'aimais toujours pas. Je l'avais un peu modifiée depuis que je l'habitais, l'égayant avec un tableau
aux teintes vives et des rideaux neufs, mais elle
n'avait guère changé dans l'ensemble et elle m'op-
pressait, avec ses vieux meubles massifs, son grand
lit...

« Ici naîtront vos fils ». avait dit Doña Teresa.

Non. Pas mes fils. Je sentis, et c'était plus qu'un
pressentiment, que je ne reviendrais jamais dans
cette chambre, non pas à cause du Roc, mais parce
qu'ayant quitté San Matio, je me sentirais enfin
libérée. Oui, tout en portant l'enfant de Ramon. Je
serais libérée de la famille, libre de vivre ma propre
vie. Je ne serais plus une marionnette entre les
mains des Mingote. Est-ce là ce que Ramon voulait dire à l'instant ?

S'il m'aimait réellement, il viendrait me rejoindre.

Tony réveillé dans son premier sommeil geignait
faiblement. Le tonnerre l'effrayait. Il n'était pas
habillé, Ramon l'avait enveloppé dans une couverture. Il l'emporta dans la voiture. Il n'y eut pas
d'adieux de la famille. Don Felipe désapprouvait
notre départ, notre « fuite » comme il disait, et les
autres, par force, le suivaient et nous laissaient partir sans un mot.

A la porte, j'hésitai. Tony était déjà dans la voiture et Jaime avait mis le moteur en route. Je regardai Ramon. Il n'essaya pas de me retenir, ne me prit
pas dans ses bras, mais réussit à me sourire. Je
suppliai encore :

— Viens avec nous !

— Je suis médecin, me rappela-t-il. Comment
pourrais-je partir quand mon père est malade ?

— Je suis ta femme.

— Ma femme bien-aimée.

— Alors... ?

— Jaime t'attend.

Un dernier baiser, un dernier mot tendre... Il m'escorta jusqu'à la voiture.

L'auto s'éloigna. Je me retournai. Je vis Ramon rentrer dans la maison de son père.

Nous prîmes la route de San Martin.

J'étais à la fois furieuse et consternée. Ramon aurait dû venir avec moi. En serait-il toujours ainsi, son père passant avant sa femme ? Pourtant, je ne doutais pas un instant de son amour. Mais c'était un Mingote, et cela signifiait, semblait-il, qu'il était tenu par une loi unique.

A travers le pare-brise ruisselant, on voyait à peine la rue du village. Heureusement, il n'y avait personne dehors. Sur le pont, Jaime ralentit pour le franchir au tour de roue : la petite rivière s'était transformée en un torrent furieux. Après le pont, nous prîmes la direction de San Martin.

Dans la nuit noire, sous la pluie diluvienne, conduire devait être un cauchemar. D'abord, Jaime se concentra si intensément sur la route qu'il garda le silence, et j'en fus contente. Je ne l'aimais pas plus qu'à son arrivée. Etre dans sa voiture me semblait cocasse, Jaime que j'avais rabroué chaque fois que je le pouvais ! Jaime qui m'avait dénoncée en racontant à son père ma rencontre avec le jeune Anglais ! Une seule chose comptait à présent : que nous arrivions sains et saufs chez Isabel.

— Avez-vous l'intention de retourner à San Matio ? me demanda soudain le jeune homme.

Je me rebiffai.

— Pourquoi demandez-vous cela ?

— Je vous ai observée.

Ayant quitté le village, il recouvrait son assurance.

— J'ai parfois l'impression que vous ne voulez pas vous plier à nos coutumes.

— Ou peut-être, dis-je entre mes dents, suis-je incapable de comprendre votre famille.

Nous arrivions à San Martin. A la lueur des réverbères, je voyais la rue semée de mares, les ruisseaux transformés en rivières. Ici, il y avait des voitures malgré le mauvais temps, et des gens qui rentraient chez eux sous des parapluies ruisselants.

C'était bon de revoir un peu de vie.

Ramon avait dû téléphoner à Isabel car son père et elle nous attendaient. Don Rafael prit dans ses bras Tony qui s'était rendormi.

— Je lui ai préparé un lit, dit Isabel. Et vous, Janet ! Comme vous avez l'air fatiguée ! Ramon m'a dit de ne pas vous empêcher de vous coucher en vous questionnant. Non, Père ! Les questions attendront demain, à moins que Jaime ne veuille vous raconter ce qui s'est passé. J'emmène Janet en haut.

En suivant Isabel, j'avais l'impression de n'être pas venue dans cette maison depuis des années. Elle était claire, et chaude, et amicale, tout comme Isabel, qui avait le don de toujours dire et faire ce qu'il fallait au moment voulu. Pas de questions gênantes, pas de surprise à notre venue soudaine. Je la savais inquiète, pourtant. Tony fut mis au lit, puis elle me conduisit dans la chambre voisine.

— J'espère que vous serez bien là, dit-elle. Dormez bien, ma chère Janet.

Elle me laissa dans cette jolie chambre, si gaie, si différente de la chambre « du fils aîné ». Le fait d'y être me parut soudain... tellement abominable !

Je dormis peu. Chaque fois que je me tournais,

j'entendais la pluie. J'étais mal à l'aise. Malheureuse. Et honteuse. Jamais je ne m'étais encore laissée dominer par la peur, pas même à la mort de Peter, quand je me savais enceinte. M'être enfuie ainsi ! C'était bien cela. Je m'étais sauvée !

Et si, dans la tempête, le rocher tombait cette nuit ? Si j'apprenais cela demain matin ? Que penserais-je de moi s'il était arrivé malheur à Ramon ?

— Mon Dieu ! Je vous en supplie ! Pas cela ! murmurai-je.

Le rocher et Don Felipe avaient quelque chose en commun, pensai-je. Tous deux représentaient une menace. Le Roc menaçait le village. Don Felipe menaçait mon ménage. Les villageois devaient apprendre à vivre avec le rocher. Si je retournais à San Matio, je devais apprendre à vivre avec Don Felipe.

Si...

Il est curieux que même les choses qu'on déteste puissent devenir familières, et même acceptables. Aucune chambre ne pouvait être plus charmante, plus agréable que celle où je me trouvais. Et pourtant...

Je détestais la chambre du fils aîné et je la détesterais toujours, et pourtant, loin de sa terne tristesse, j'éprouvais une étrange impression de manque. Je me sentais perdue. C'était ridicule. C'était vrai.

Seulement, ce n'était pas la chambre qui me manquait.

Oui, c'était Ramon.

Il me manquait bien plus encore que je ne l'aurais cru possible.

Je regardais tristement par la fenêtre, le lendemain matin, quand on frappa à ma porte. Isabel entra. Elle tenait un plateau, et sur le plateau je vis deux tasses de porcelaine fine et la théière d'argent qui m'avait accueillie à ma première visite.

— Par exemple ! articulai-je.

— Ils n'ont jamais pensé à vous donner une tasse de thé à votre réveil ? Non, bien sûr ! dit-elle en riant. Mais rappelez-vous que j'ai été élevée en Angleterre et je sais ce qui est important pour les Anglais.

Elle posa le plateau et s'assit au bord du lit.

— Quand j'allais voir des amis, ils m'apportaient toujours du thé le matin dans mon lit. Alors, pour vous, mon amie...

Elle tapota le lit, me faisant signe de venir me recoucher.

— Du thé ! acheva-t-elle.

— Isabel !

Je pris la tasse, ne sachant si j'allais rire ou pleurer.

— Je ne sais ce que j'aurais fait sans vous pendant tous ces longs mois ! dis-je. Et maintenant...

— Qu'est-ce qui ne va pas ? demanda-t-elle. Ne dites rien si vous le préférez, ma bien chère, mais si cela pouvait vous aider...

Qu'y avait-il à dire ? Des détails agaçants qui s'ajoutant les uns aux autres avaient fini par former une montagne de frustrations. Trop de famille... le besoin d'être maîtresse chez moi... L'irritation contre un vieillard que j'avais fini par respecter mais pour lequel je n'avais pas d'affection... de petites choses qui semblaient insignifiantes. Pourtant, c'était mon mariage qui était en jeu. Un mariage accepté pour Tony, mais qui avait tissé entre mon mari et moi les liens impossibles à briser.

Si seulement Ramon avait quitté San Matio avec moi !

Isabel m'écouta parler. Elle semblait fort bien comprendre ce que j'avais tant de peine à exprimer.

— C'est ainsi que sont les gens de chez nous, dit-elle. Un homme prend une femme, mais sa première pensée va toujours à ses parents. Non pas qu'il néglige sa femme, comprenez-vous ? C'est seulement que son devoir le pousse d'abord vers les vieux. Quand votre fils sera un homme, lui aussi s'occupera d'abord de vous. Et vous, après Doña Teresa, serez la maîtresse de la maison Mingote.

— Si le rocher ne l'écrase pas d'ici-là !

— Il faut construire un nouveau San Matio, dit Isabel, à un endroit où il n'y aura pas de danger. Reconstruire les maisons. Mon père et Jaime ont parlé de cela très longtemps hier soir.

L'excitation faisait rosir ses joues.

— Comme vous le savez, mon père pense toujours à l'avenir : il pense que c'est l'occasion ou jamais. Un village comportant un ou deux hôtels, et tout ce dont des touristes peuvent avoir besoin. Il a des amis dans l'entourage du gouvernement : il va prendre immédiatement contact avec eux.

— Que je voudrais que ce soit possible... ! Un nouveau village... ! Il y a un endroit, non loin de San Matio, où Ramon s'arrête toujours au passage pour regarder la vue. Ce serait idéal.

— Eh bien... pourquoi pas ?

La porte s'ouvrit, et Tony en pyjama, tout ébouriffé, entra. Il ne me dit pas bonjour. Il alla à la fenêtre, écarta le rideau et regarda au dehors.

— Quand rentrons-nous à la maison ? demanda-t-il.

La Maison !

Pas une fois, depuis mon arrivée, je n'avais prononcé ce mot de cette façon-là. Je disais « la

résidence Mingote... la maison Mingote... le *palacio*...
pas « La Maison ».

— Quand ? répéta Tony, croyant que je n'avais
pas entendu. Rentrons-nous bientôt à la maison ?

— Oui, nous rentrons à la maison, répondis-je,
m'attardant sur le terme. Tout de suite.

J'empruntai la voiture de Jaime, j'avertis Isabel, et je partis pour San Matio. Je n'avais pas
conduit depuis que j'étais en Espagne et être au
volant d'une voiture inconnue m'amusait.

Dans la grisaille du petit matin, cette route si
souvent suivie me semblait étrange. Je n'avais pris
le temps de rien, pas même de prévenir Jaime pour
sa voiture. Je ne voulais pas de discussion. Tout ce
qui importait, c'était que je rentre au plus vite à la
Maison. Que je retourne au plus vite auprès de
Ramon.

Il pleuvait toujours. L'eau ruisselait partout et à
un endroit, elle recouvrait la route, mais je passai
quand même, faisant gicler l'eau sur les vitres de la
voiture. Je dépassai la plantation d'oliviers. Avec le
sol inondé, elle était très différente. Je montai une
côte, là où la route tournait. Tout était si familier
et si bizarre, les arbres ruisselants, la route pointil-
lée de mares. Quand je parvins à l'embranchement,
j'aurais dû voir San Matio, mais à travers le pare-
brise embué, on ne distinguait rien. Je m'arrêtai pour
l'essuyer.

C'est alors que je vis la procession. Une étrange
procession. En premier, deux carrioles, puis, un peu
en arrière, un groupe de gens à pied. Puis une autre
carriole qui dérapait au milieu de la route. Après
cela, une vieille voiture, qui roulait très lentement
pour ne pas dépasser les carrioles.

D'autres charrettes. D'autres voitures. Deux

ânes chargés. Sur le toit d'une des voitures étaient
fixés des corbeilles et des ballots. Dans une carriole,
parmi les paquets, je vis deux porcs. Une vieille
femme marchait en traînant une chèvre... Je reconnaissais les habitants de San Matio. Une procession
d'évacués. Mon cœur battit...

— Regarde ! dit Tony. C'est l'oncle Jorge !

Il tendait le doigt vers une voiture qui se traînait,
comme les autres, derrière les charrettes.

Je faillis tomber en descendant de voiture pour
courir à celle-là, mais oncle Jorge avait reconnu
l'auto de Jaime et il s'arrêta. Les tantes étaient avec
lui, Matilde et Rosa aussi, avec la cage aux oiseaux,
des ballots et des valises.

— Le rocher... ? demandai-je, prononçant le
mot avec difficulté, est-il tombé ?

— Non. Mais voici une heure, nous avons
entendu du bruit dans la montagne, dit tante Maria.
Jorge pense que le terrain ne s'est pas encore fixé.
C'est pour cela que nous sommes partis.

— Mais... Ramon ?

— Il essaye de décider Felipe à partir. Mais
vous connaissez Felipe ! Il pense que nous n'avons
pas la foi en la vierge d'Alvez... Mais le temps des
miracles est passé. Oh ! Janet !

Elle me regardait, les larmes aux yeux.

— J'ai si peur pour eux !

J'avais peur aussi. Tout à coup, je me sentis
plus résolue que je ne l'avais jamais été, car je
savais ce qu'il me fallait faire. Tony, ouvrant de
grands yeux, avait tout entendu. Moitié par per-
suasion, moitié par autorité, je réussis à le mettre
dans la voiture d'oncle Jorge avec les tantes, les
servantes, les canaris et les bagages. Il protestait...

— Je t'en prie ! dis-je.

Un baiser hâtif, je claquai la portière, je remontai dans la voiture de Jaime et je repartis. Je voulais atteindre San Matio. Et vite. La pluie diminuait un peu, les nuages se morcelaient. Je distinguai la montagne, le promontoire.

Je vis le Roc du Diable.

Près du pont, que l'eau recouvrait presque, j'arrêtai la voiture et je continuais ma route à pied. C'était plus facile. Il y avait encore des gens qui quittaient le village. Une longue procession. Quelques-uns s'arrêtèrent pour me mettre en garde.

— Nous aurions dû suivre le conseil du señor Vega, me dit un vieillard.

J'entrai dans le village presque désert.

La Maison.

Je contemplai la vieille demeure où j'étais entrée si souvent avec la même décourageante impression de déplaisir. Elle n'avait pas changé : elle demeurait aussi rébarbative d'aspect. Le changement était en moi.

Oui. A cause de Ramon, c'était bien « La Maison ».

La porte était entrouverte. J'entrai sans frapper.

Ils étaient dans le salon où je les avais laissés la veille. On aurait pu croire que Don Felipe n'avait pas bougé : il était assis tout droit sur son fauteuil, le visage empourpré, ses mains crispées sur les pommeaux de ses deux cannes. Doña Teresa, visiblement angoissée, s'agitait autour de lui. Mais elle était prête à partir. Et Ramon avait son imperméable sur le dos.

— Si je pars, ils croiront que je n'ai plus la Foi ! disait Don Felipe. Partez, vous : je reste.

— Vous êtes injuste pour nous tous, dit Ramon. Je n'ai pas entendu de tels bruits dans la montagne

depuis l'année de la grande avalanche. Votre entê-
tement nous met tous en danger.

— Personne ne croit donc au pouvoir de la
prière, aujourd'hui ? demanda Don Felipe. Voyez
notre prêtre ! Il était parmi les premiers à partir !
et...

Tournant la tête par hasard, il me vit. J'entrai
dans la pièce.

— Janet !

Ramon poussa une exclamation inquiète. Je lui
fis signe de se taire. Je m'avançai vers Don Felipe,
et la tête haute, je l'affrontai.

— Nous ne pouvons pas tout laisser entre les
mains de la providence, dis-je. Une question de foi ?
Je crois qu'en cette occurrence, nous devrions faire
preuve de sens commun. Il semble que vous ayez
décidé de rester... alors, Ramon restera. Et si Ramon
reste, je reste aussi.

Les gros sourcils se froncèrent.

— Où est le garçon ?

— En sûreté à San Martin maintenant, je l'espère.

— Je vois.

Il me regarda longuement.

— Et si... le rocher tombait ?

— Eh bien, il serait orphelin.

— Vous dites cela bien calmement. Comme si
c'était sans importance.

Les yeux sagaces ne me quittaient pas. Il essayait
de comprendre la raison de mon retour, de savoir
si je comptais rester.

— Ne vous inquiétez-vous pas de ce qui arrivera à votre fils ?

— Evidemment, je m'en inquiète ! Je m'en
inquiète désespérément ! criai-je d'une voix qui se

brisait. Et j'espère que vous vous en inquiétez aussi. C'est pour cela que je vous demande de partir. Ma place est ici, auprès de Ramon. Pourtant, j'ai des devoirs envers mon fils. Je ne m'attends pas à ce que vous vous tourmentiez pour moi, mais Tony... Antonio, ainsi que vous aimez l'appeler...

Soudain, je tombai à genoux près du fauteuil du vieillard, suppliant, non plus avec des mots seulement, mais avec tout mon être.

— Vous l'aimez. Pour Tony... Pour votre petit-enfant à naître... je vous en prie... !

Il me regarda très, très longtemps, puis, lentement, ses lèvres se tordirent et l'ombre d'un sourire passa dans les yeux si rarement souriants. S'appuyant lourdement sur ses cannes, il se hissa sur ses pieds.

— Ta femme est une jeune personne très persuasive, Ramon, dit Don Felipe. Je crois toujours que la Vierge d'Alvez sauvera le village mais... c'est bon : pour le bien des enfants.

La tête droite, il sortit de la maison qui avait abrité les Mingote de génération en génération.

Le Roc du Diable ne tomba pas.

Il est encore là aujourd'hui, dangereusement accroché sur son promontoire, tel qu'il y a roulé pendant la nuit du grand orage. Un miracle ? La chance ? C'est un sujet de discussions passionnées pour ceux qui lèvent les yeux sur lui. Si jamais il tombe, il n'y aura pas grand mal. Il n'y a plus de village niché en dessous de lui.

San Matio est parti. L'église, le *palacio*, les deux rues étroites ont été transportées pierre par pierre. Avec l'aide du gouvernement et beaucoup de dur travail de la part des villageois, un nouveau San

Matio s'est élevé près de l'endroit où Ramon, si souvent, arrêtait sa voiture pour admirer la vue. C'est un joyeux village, plein d'animation, dont les touristes, pendant les mois d'été, commencent à trouver le chemin.

Les touristes vont se promener là où se trouvait l'ancien San Matio. Ils s'intéressent au rocher. C'est une curiosité locale.

Mais en ce matin gris où nous quittâmes la maison, sous la pluie, nous ne savions pas ce qui nous attendait et nous n'éprouvions que de la tristesse. Oui, j'étais triste aussi, moi qui jusque là me considérais comme une étrangère en pays étranger. Ramon arrêta sa voiture là où se trouve maintenant le nouveau village. A ce moment-là, bien sûr, ce n'était qu'une étendue de prairie. En silence, il contempla ce San Matio qu'il aimait. Le village en péril. Je descendis de voiture et je le rejoignis.

Il se retourna et me regarda. Il me regarda avec surprise. Avec joie.

— J'ai eu si peur ! dit-il.

Je savais qu'il parlait, non pas du rocher, mais de nous.

— Janet, dis-moi... pourquoi es-tu revenue ? demanda mon mari.

— Parce que ma place est là, près de toi, dis-je. Près de toi... et oui : près de ta famille.

FIN

Achevé d'imprimer
le 3 décembre 1976
sur les presses
de l'imprimerie Cino del Duca,
18, rue de Folin, à Biarritz,
N° 761.

Dépôt légal n° 364.   1ᵉʳ trimestre 1977.